JAKOB MICHAEL REINHOLD LENZ

Der Hofmeister

oder

Vorteile der Privaterziehung

EINE KOMÖDIE

NACHWORT VON
KARL S. GUTHKE

PHILIPP RECLAM JUN. STUTTGART

Erläuterungen und Dokumente zu Lenz' »Der Hofmeister«
liegen unter Nr. 8177 in Reclams Universal-Bibliothek vor,
eine Interpretation ist enthalten in dem Band *Dramen des
Sturm und Drang* der Reihe »Interpretationen« Universal-
Bibliothek Nr. 8410

Universal-Bibliothek Nr. 1376
Alle Rechte vorbehalten
© 1963, 1984 Philipp Reclam jun. GmbH & Co., Stuttgart
Durchgesehene Ausgabe 1984
Gesamtherstellung: Reclam, Ditzingen. Printed in Germany 1991
RECLAM und UNIVERSAL-BIBLIOTHEK sind eingetragene
Warenzeichen der Philipp Reclam jun. GmbH & Co., Stuttgart
ISBN 3-15-001376-3

Der
Hofmeister

oder

Vortheile der Privaterziehung.

Eine Komödie.

Leipzig,
in der Weygandschen Buchhandlung.
1774.

Namen

HERR VON BERG, *Geheimer Rat*
DER MAJOR, *sein Bruder*
DIE MAJORIN
GUSTCHEN, *ihre Tochter*
FRITZ VON BERG
GRAF WERMUTH
LÄUFFER, *ein Hofmeister*
PÄTUS
BOLLWERK } *Studenten*
HERR VON SEIFFENBLASE
SEIN HOFMEISTER
FRAU HAMSTER, *Rätin*
JUNGFER HAMSTER
JUNGFER KNICKS
FRAU BLITZER
WENZESLAUS, *ein Schulmeister*
MARTHE, *alte Frau*
LISE
DER ALTE PÄTUS
DER ALTE LÄUFFER, *Stadtprediger*
LEOPOLD, JUNKER DES MAJORS, *ein Kind*
HERR REHAAR, *Lautenist*
JUNGFER REHAAR, *seine Tochter*

Sag mir, was meinst du mit dem Geld auszurichten; was fo-
derst du dafür von deinem Hofmeister?

MAJOR. Daß er – was ich – daß er meinen Sohn in allen Wissenschaften und Artigkeiten und Weltmanieren – Ich weiß auch
nicht, was du immer mit deinen Fragen willst; das wird sich   5
schon finden; das werd' ich ihm alles schon zu seiner Zeit
sagen.

GEH. RAT. Das heißt: du willst Hofmeister deines Hofmeisters
sein; bedenkst du aber auch, was du da auf dich nimmst – Was
soll dein Sohn werden, sag mir einmal?   10

MAJOR. Was er . . . Soldat soll er werden; ein Kerl, wie ich
gewesen bin.

GEH. RAT. Das letzte laß nur weg, lieber Bruder; unsere Kinder
sollen und müssen das nicht werden, was wir waren: die Zeiten ändern sich, Sitten, Umstände, alles, und wenn du nichts   15
mehr und nichts weniger geworden wärst, als das leibhafte
Kontrefei deines Eltervaters – –

MAJOR. Potz hundert! wenn er Major wird, und ein braver Kerl
wie ich, und dem König so redlich dient als ich!

GEH. RAT. Ganz gut, aber nach funfzig Jahren haben wir viel-   20
leicht einen andern König und eine andre Art ihm zu dienen.
Aber ich seh' schon, ich kann mich mit dir in die Sachen nicht
einlassen, ich müßte zu weit ausholen und würde doch nichts
ausrichten. Du siehst immer nur der graden Linie nach, die
deine Frau dir mit Kreide über den Schnabel zieht.   25

MAJOR. Was willst du damit sagen, Berg? Ich bitt' dich, misch
dich nicht in meine Hausangelegenheiten, so wie ich mich
nicht in die deinigen. – Aber sieh doch! da läuft ja eben dein
gnädiger Junker mit zwei Hollunken aus der Schule heraus. –
Vortreffliche Erziehung, Herr Philosophus! Das wird einmal   30
was Rechts geben! Wer sollt' es in aller Welt glauben, daß der
Gassenbengel der einzige Sohn Sr. Exzellenz des königlichen
Geheimen Rats – –

GEH. RAT. Laß ihn nur. – Seine lustigen Spielgesellen werden ihn
minder verderben als ein galonierter Müßiggänger, unter-   35
stützt von einer eiteln Patronin.

MAJOR. Du nimmst dir Freiheiten heraus. – Adieu.

GEH. RAT. Ich bedaure dich.

Erster Akt

Erste Szene

Zu Insterburg in Preußen

LÄUFFER. Mein Vater sagt: ich sei nicht tauglich zum Adjunkt.
5   Ich glaube, der Fehler liegt in seinem Beutel; er will keinen
bezahlen. Zum Pfaffen bin ich auch zu jung, zu gut gewach-
sen, habe zu viel Welt gesehn und bei der Stadtschule hat
mich der Geheime Rat nicht annehmen wollen. Mag's! er ist
ein Pedant und dem ist freilich der Teufel selber nicht gelehrt
10   genug. Im halben Jahr hätt' ich doch wieder eingeholt, was
ich von der Schule mitgebracht, und dann wär' ich für einen
Klassenpräzeptor noch immer viel zu gelehrt gewesen, aber
der Herr Geheime Rat muß das Ding besser verstehen. Er
nennt mich immer nur Monsieur Läuffer, und wenn wir von
15   Leipzig sprechen, fragt er nach Händels Kuchengarten und
Richters Kaffeehaus, ich weiß nicht: soll das Satire sein, oder
– Ich hab' ihn doch mit unserm Konrektor bisweilen tiefsinnig
genug diskurrieren hören; er sieht mich vermutlich nicht für
voll an. – Da kommt er eben mit dem Major; ich weiß nicht,
20   ich scheu' ihn ärger als den Teufel. Der Kerl hat etwas in
seinem Gesicht, das mir unerträglich ist. *(Geht dem Geheimen Rat und dem Major mit viel freundlichen Scharrfüßen
vorbei.)*

Zweite Szene

25   *Geheimer Rat. Major.*

MAJOR. Was willst du denn? Ist das nicht ein ganz artiges Männi-
chen?
GEH. RAT. Artig genug, nur zu artig. Aber was soll er deinen
Sohn lehren?
30   MAJOR. Ich weiß nicht, Berg, du tust immer solche wunderliche
Fragen.
GEH. RAT. Nein aufrichtig! Du mußt doch eine Absicht haben,
wenn du einen Hofmeister nimmst und den Beutel mit einem-
mal so weit auftust, daß dreihundert Dukaten herausfallen.

Dritte Szene

Der Majorin Zimmer.

Frau Majorin auf einem Kanapee. Läuffer in sehr demütiger
Stellung neben ihr sitzend. Leopold steht.

5   MAJORIN. Ich habe mit Ihrem Herrn Vater gesprochen und von
den dreihundert Dukaten stehenden Gehalts sind wir bis auf
hundertundfunfzig einig worden. Dafür verlang' ich aber
auch Herr – Wie heißen Sie? – Herr Läuffer, daß Sie sich in
Kleidern sauber halten und unserm Hause keine Schande
10   machen. Ich weiß, daß Sie Geschmack haben; ich habe schon
von Ihnen gehört, als Sie noch in Leipzig waren. Sie wissen,
daß man heutzutage auf nichts in der Welt so sehr sieht, als ob
ein Mensch sich zu führen wisse.

    LÄUFFER. Ich hoff', Euer Gnaden werden mit mir zufrieden
15   sein. Wenigstens hab' ich in Leipzig keinen Ball ausgelassen,
und wohl über die funfzehn Tanzmeister in meinem Leben
gehabt.

    MAJORIN. So? lassen Sie doch sehen.

    (Läuffer steht auf.)

20   Nicht furchtsam, Herr ... Läuffer! nicht furchtsam! Mein
Sohn ist buschscheu genug; wenn der einen blöden Hofmeister bekommt, so ist's aus mit ihm. Versuchen Sie doch einmal, mir ein Kompliment aus der Menuet zu machen; zur
Probe nur, damit ich doch sehe. – Nun, nun, das geht schon an!
25   Mein Sohn braucht vor der Hand keinen Tanzmeister! Auch
einen Pas, wenn's Ihnen beliebt. – Es wird schon gehen; das
wird sich alles geben, wenn Sie einmal einer unsrer Assem-
bleen werden beigewohnt haben ... Sind Sie musikalisch?

    LÄUFFER. Ich spiele die Geige, und das Klavier zur Not.

30   MAJORIN. Desto besser: wenn wir aufs Land gehn und Fräulein
Milchzahn besuchen uns einmal; ich habe bisher ihnen immer
was vorsingen müssen, wenn die guten Kinder Lust bekamen
zu tanzen: aber besser ist besser.

    LÄUFFER. Euer Gnaden setzen mich außer mich: wo wär' ein
35   Virtuos auf der Welt, der auf seinem Instrument Euer Gnaden Stimme zu erreichen hoffen dürfte.

    MAJORIN. Ha ha ha, Sie haben mich ja noch nicht gehört. ...
Warten Sie; ist Ihnen die Menuet bekannt? *(Singt.)*

LÄUFFER. O . . . o . . . verzeihen Sie dem Entzücken, dem En-
thusiasmus, der mich hinreißt. *(Küßt ihr die Hand.)*

MAJORIN. Und ich bin doch enrhumiert dazu; ich muß heut krä-
hen wie ein Rabe. Vous parlez françois, sans doute?

LÄUFFER. Un peu, Madame.   5

MAJORIN. Avez-Vous déjà fait Votre tour de France?

LÄUFFER. Non Madame . . . Oui Madame.

MAJORIN. Vous devez donc savoir, qu'en France, on ne baise pas
les mains, mon cher. . . .

BEDIENTER *(tritt herein)*. Der Graf Wermuth . . .   10
(Graf Wermuth tritt herein).

GRAF *(nach einigen stummen Komplimenten setzt sich zur Majorin aufs Kanapee. Läuffer bleibt verlegen stehen)*. Haben Euer
Gnaden den neuen Tanzmeister schon gesehn, der aus Dresden angekommen? Er ist ein Marchese aus Florenz, und   15
heißt . . . Aufrichtig: ich habe nur zwei auf meinen Reisen
angetroffen, die ihm vorzuziehen waren.

MAJORIN. Das gesteh' ich, nur zwei! In der Tat, Sie machen mich
neugierig; ich weiß, welchen verzärtelten Geschmack der
Graf Wermuth hat.   20

LÄUFFER. Pintinello . . . nicht wahr? ich hab' ihn in Leipzig auf
dem Theater tanzen sehen; er tanzt nicht sonderlich . . .

GRAF. Er tanzt – on ne peut pas mieux. – Wie ich Ihnen sage,
gnädige Frau, in Petersburg hab' ich einen Beluzzi gesehn,
der ihm vorzuziehen war: aber dieser hat eine Leichtigkeit in   25
seinen Füßen, so etwas Freies, Göttlichnachlässiges in seiner
Stellung, in seinen Armen, in seinen Wendungen – –

LÄUFFER. Auf dem Kochischen Theater ward er ausgepfiffen,
als er sich das letztemal sehen ließ.

MAJORIN. Merk' Er sich, mein Freund! daß Domestiken in   30
Gesellschaften von Standespersonen nicht mitreden. Geh' Er
auf Sein Zimmer. Wer hat Ihn gefragt?
(Läuffer tritt einige Schritte zurück.)

GRAF. Vermutlich der Hofmeister, den Sie dem jungen Herrn
bestimmt? . . .   35

MAJORIN. Er kommt ganz frisch von der hohen Schule. – Geh' Er
nur! Er hört ja, daß man von Ihm spricht; desto weniger
schickt es sich, stehen zu bleiben.
(Läuffer geht mit einem steifen Kompliment ab.)
Es ist was Unerträgliches, daß man für sein Geld keinen   40
rechtschaffenen Menschen mehr antreffen kann. Mein Mann

hat wohl dreimal an einen dasigen Professor geschrieben und
dies soll doch noch der galanteste Mensch auf der ganzen
Akademie gewesen sein. Sie sehen's auch wohl an seinem
links bordierten Kleide. Stellen Sie sich vor, von Leipzig bis
5   Insterburg zweihundert Dukaten Reisegeld und jährliches
Gehalt fünfhundert Dukaten, ist das nicht erschröcklich?

GRAF. Ich glaube, sein Vater ist der Prediger hier aus dem
Ort . . .

MAJORIN. Ich weiß nicht – es kann sein – ich habe nicht darnach
10   gefragt, ja doch, ich glaub' es fast: er heißt ja auch Läuffer;
nun denn ist er freilich noch artig genug. Denn das ist ein
rechter Bär, wenigstens hat er mich ein für allemal aus der
Kirche gebrüllt.

GRAF. Ist's ein Katholik?

15   MAJORIN. Nein doch, Sie wissen ja, daß in Insterburg keine
katholische Kirche ist: er ist lutherisch, oder protestantisch
wollt' ich sagen; er ist protestantisch.

GRAF. Pintinello tanzt . . . Es ist wahr, ich habe mir mein Tanzen
einige dreißigtausend Gulden kosten lassen, aber noch ein-
20   mal so viel gäb' ich drum, wenn . . .

Vierte Szene

Läuffers Zimmer.

Läuffer. Leopold. Der Major. Erstere sitzen an einem Tisch, ein
Buch in der Hand, indem sie der letztere überfällt.

25   MAJOR. So recht; so lieb' ich's; hübsch fleißig – und wenn die
Canaille nicht behalten will, Herr Läuffer, so schlagen Sie ihm
das Buch an den Kopf, daß er's Aufstehen vergißt, oder
wollt' ich sagen, so dürfen Sie mir's nur klagen. Ich will dir
den Kopf zurecht setzen, Heiduck du! Seht da zieht er das
30   Maul schon wieder. Bist empfindlich, wenn dir dein Vater
was sagt? Wer soll dir's denn sagen? Du sollst mir anders
werden, oder ich will dich peitschen, daß dir die Eingeweide
krachen sollen. Tuckmäuser! Und Sie, Herr, sein Sie fleißig
mit ihm, das bitt' ich mir aus, und kein Feriieren und Pausie-
35   ren und Rekreieren, das leid' ich nicht. Zum Plunder, vom
Arbeiten wird kein Mensch das Malum hydropisiacum kriegen. Das sind nur Ausreden von Euch Herren Gelehrten. –

Wie steht's, kann er seinen Cornelio? Lippel! ich bitt' dich um
tausend Gottes willen, den Kopf grad. Den Kopf in die Höhe,
Junge! *(Richtet ihn.)* Tausend Sackerment den Kopf aus den
Schultern! oder ich zerbrech' dir dein Rückenbein in tausend
Millionen Stücken.   5

LÄUFFER. Der Herr Major verzeihen: er kann kaum Lateinisch
lesen.

MAJOR. Was? So hat der Racker vergessen. – Der vorige Hofmeister hat mir doch gesagt, er sei perfekt im Lateinischen,
perfekt . . . Hat er's ausgeschwitzt – aber ich will dir – Ich will   10
es nicht einmal vor Gottes Gericht zu verantworten haben,
daß ich dir keinen Daumen aufs Auge gesetzt habe, und daß
ein Galgendieb aus dir geworden ist, wie der junge Hufeise
oder wie deines Onkels Friedrich, eh' du mir so ein gassenläu-
ferischer Taugenichts – Ich will dich zu Tode hauen – *(Gibt*   15
ihm eine Ohrfeige.) Schon wieder wie ein Fragzeichen? Er
läßt sich nicht sagen. – Fort mir aus den Augen. – Fort! Soll
ich dir Beine machen? Fort, sag' ich. *(Stampft mit dem Fuß.*
Leopold geht ab. Major setzt sich auf seinen Stuhl. Zu Läuf-
fern.) Bleiben Sie sitzen, Herr Läuffer; ich wollte mit Ihnen   20
ein paar Worte allein sprechen, darum schickt' ich den jungen
Herrn fort. Sie können immer sitzen bleiben; ganz, ganz.
Zum Henker Sie brechen mit ja den Stuhl entzwei, wenn Sie
immer so auf einer Ecke . . . Dafür steht ja der Stuhl da, daß
man drauf sitzen soll. Sind Sie so weit gereist und wissen das   25
noch nicht? – Hören Sie nur: ich seh' Sie für einen hübschen
artigen Mann an, der Gott fürchtet und folgsam ist, sonst
würd' ich das nimmer tun, was ich für Sie tue. Hundert-
vierzig Dukaten jährlich hab' ich Ihnen versprochen: das machen drei – Warte – Dreimal hundertundvierzig: wieviel   30
machen das?

LÄUFFER. Vierhundertundzwanzig.

MAJOR. Ist's gewiß? Macht das so viel? Nun damit wir gerade
Zahl haben, vierhundert Taler preußisch Courant hab' ich zu
Ihrem Salarii bestimmt. Sehen Sie, das ist mehr als das ganze   35
Land gibt.

LÄUFFER. Aber mit Eurer Gnaden gnädigen Erlaubnis, die Frau
Majorin haben mir von hundertfunfzig Dukaten gesagt; das
machte gerade vierhundertfunfzig Taler und auf diese Bedin-
gungen hab' ich mich eingelassen.   40

MAJOR. Ei was wissen die Weiber! – Vierhundert Taler, Mon-

sieur; mehr kann Er mit gutem Gewissen nicht fodern. Der
vorige hat zweihundertfunfzig gehabt und ist zufrieden gewesen wie ein Gott. Er war doch, mein Seel! ein gelehrter Mann;
auch und ein Hofmann zugleich: die ganze Welt gab ihm das
5   Zeugnis, und Herr, Er muß noch ganz anders werden, eh' Er
so wird. Ich tu' es nur aus Freundschaft für Seinen Herrn
Vater, was ich an Ihm tue und um Seinetwillen auch, wenn Er
hübsch folgsam ist, und werd' auch schon einmal für Sein
Glück zu sorgen wissen; das kann Er versichert sein. – Hör'
10 Er doch einmal: ich hab' eine Tochter, das mein Ebenbild ist
und die ganze Welt gibt ihr das Zeugnis, daß ihresgleichen an
Schönheit im ganzen Preußenlande nicht anzutreffen. Das
Mädchen hat ein ganz anders Gemüt als mein Sohn, der
Buschklepper. Mit dem muß ganz anders umgegangen wer-
15 den! Es weiß sein Christentum aus dem Grunde und in dem
Grunde, aber es ist denn nun doch, weil sie bald zum Nacht-
mahl gehen soll und ich weiß wie die Pfaffen sind, so soll er
auch alle Morgen etwas aus dem Christentum mit ihr nehmen. Alle Tage morgens eine Stunde und da geht Er auf ihr
20 Zimmer, angezogen, das versteht sich: denn Gott behüte,
daß Er so ein Schweinigel sein sollte wie ich einen gehabt
habe, der durchaus im Schlafrock an Tisch kommen wollte. –
Kann Er auch zeichnen?

LÄUFFER. Etwas, gnädiger Herr. – Ich kann Ihnen einige Proben
25 weisen.

MAJOR *(besieht sie)*. Das ist ja scharmant! – Recht schön; gut
das: Er soll meine Tochter auch zeichnen lehren. – Aber
hören Sie, werter Herr Läuffer, um Gottes willen ihr nicht
scharf begegnet; das Mädchen hat ein ganz ander Gemut als
30 der Junge. Weiß Gott! es ist als ob sie nicht Bruder und
Schwester wären. Sie liegt Tag und Nacht über den Büchern
und über den Trauerspielen da, und sobald man ihr nur ein
Wort sagt, besonders ich, von mir kann sie nichts vertragen,
gleich stehn ihr die Backen in Feuer und die Tränen laufen ihr
35 wie Perlen drüber herab. Ich will's Ihm nur sagen: das Mädchen ist meines Herzens einziger Trost. Meine Frau macht
mir bittre Tage genug: sie will alleweil herrschen und weil sie
mehr List und Verstand hat, als ich. Und der Sohn, das ist ihr
Liebling; den will sie nach ihrer Methode erziehen; fein säu-
40 berlich mit dem Knaben Absalom, und da wird denn einmal
so ein Galgenstrick draus, der nicht Gott, nicht Menschen

was nutz ist. – Das will ich nicht haben. – Sobald er was tut,
oder was versieht, oder hat seinen Lex nicht gelernt, sag' Er's
mir nur und der lebendige Teufel soll drein fahren. – Aber mit
der Tochter nehm' Er sich in acht; die Frau wird Ihm schon
zureden, daß Er ihr scharf begegnen soll. Sie kann sie nicht   5
leiden, das weiß ich; aber wo ich das Geringste merke. Ich bin
Herr vom Hause, muß Er wissen, und wer meiner Tochter zu
nahe kommt – Es ist mein einziges Kleinod, und wenn der
König mir sein Königreich für sie geben wollt': ich schickt' ihn
fort. Alle Tage ist sie in meinem Abendgebet und Morgenge-   10
bet und in meinem Tischgebet, und alles in allem, und wenn
Gott mir die Gnade tun wollte, daß ich sie noch vor meinem
Ende mit einem General oder Staatsminister vom ersten
Range versorgt sähe, – denn keinen andern soll sie sein Lebtage bekommen, – so wollt' ich gern ein zehn Jahr eher ster-   15
ben. – Merk' Er sich das – und wer meiner Tochter zu nahe
kommt oder ihr worin zu Leid lebt – die erste beste Kugel
durch den Kopf. Merk' Er sich das. – *(Geht ab.)*

Fünfte Szene

Fritz von Berg. Augustchen.   20

FRITZ. Sie werden nicht Wort halten Gustchen: Sie werden mir
   nicht schreiben, wenn Sie in Heidelbrunn sind, und dann
   werd' ich mich zu Tode grämen.
GUSTCHEN. Glaubst du denn, daß deine Juliette so unbeständig
   sein kann? O nein; ich bin ein Frauenzimmer; die Mannsper-   25
   sonen allein sind unbeständig.
FRITZ. Nein, Gustchen, die Frauenzimmer allein sind's. Ja wenn
   alle Julietten wären! – Wissen Sie was? Wenn Sie an mich
   schreiben, nennen Sie mich Ihren Romeo; tun Sie mir den
   Gefallen; ich versichere Sie, ich werd' in allen Stücken Ro-   30
   meo sein, und wenn ich erst einen Degen trage. O ich kann
   mich auch erstechen, wenn's dazu kommt.
GUSTCHEN. Gehn Sie doch! Ja Sie werden's machen, wie im
   Gellert steht: er besah die Spitz' und Schneide und steckt' ihn
   langsam wieder ein.   35
FRITZ. Sie sollen schon sehen. *(Faßt sie an die Hand.)* Gustchen
   – Gustchen! wenn ich Sie verlieren sollte oder der Onkel
   wollte Sie einem andern geben. – Der gottlose Graf Wer-

muth! Ich kann Ihnen den Gedanken nicht sagen Gustchen,
aber Sie könnten ihn schon in meinen Augen lesen – Er wird
ein Graf Paris für uns sein.

GUSTCHEN. Fritzchen – – so mach' ich's wie Juliette.

5 FRITZ. Was denn? – Wie denn? – Das ist ja nur eine Erdichtung;
es gibt keine solche Art Schlaftrunk.

GUSTCHEN. Ja, aber es gibt Schlaftrünke zum ewigen Schlaf.

FRITZ *(fällt ihr um den Hals)*. Grausame!

GUSTCHEN. Ich hör' meinen Vater auf dem Gange. – Laß uns in
10 den Garten laufen – Nein; er ist fort. – Gleich nach dem
Kaffee Fritzchen reisen wir und sowie der Wagen dir aus den
Augen verschwind't, werd' ich dir auch schon aus dem Ge-
dächtnis sein.

FRITZ. So mag Gott sich meiner nie mehr erinnern, wenn ich
15 dich vergesse. Aber nimm dich für den Grafen in acht, er gilt
so viel bei deiner Mutter und du weißt, sie möchte dich gern
aus den Augen haben, und ch' ich meine Schulen gemacht
habe und drei Jahr auf der Universität, das ist gar lange.

GUSTCHEN. Wie denn Fritzchen! Ich bin ja noch ein Kind: ich bin
20 noch nicht zum Abendmahl gewesen, aber sag mir. – O wer
weiß, ob ich dich so bald wieder spreche! Wart, komm in
den Garten.

FRITZ. Nein, nein, der Papa ist vorbeigegangen. – Siehst du, der
Henker! er ist im Garten. – Was wolltest du mir sagen?

25 GUSTCHEN. Nichts . . .

FRITZ. Liebes Gustchen . . .

GUSTCHEN. Du solltest mir – Nein, ich darf das nicht von dir
verlangen.

FRITZ. Verlange mein Leben, meinen letzten Tropfen Bluts.

30 GUSTCHEN. Wir wollten uns beide einen Eid schwören.

FRITZ. O komm! Vortrefflich! Hier laß uns niederknien; am
Kanapee, und heb du so deinen Finger in die Höh' und ich so
meinen. – Nun sag, was soll ich schwören?

GUSTCHEN. Daß du in drei Jahren von der Universität zurück-
35 kommen willst und dein Gustchen zu deiner Frau machen;
dein Vater mag dazu sagen, was er will.

FRITZ. Und was willst du mir dafür wider schwören, mein engli-
sches . . . *(Küßt sie.)*

GUSTCHEN. Ich will schwören, daß ich in meinem Leben keines
40 ander Menschen Frau werden will, als deine und wenn der
Kaiser von Rußland selber käme.

FRITZ. Ich schwör' dir hunderttausend Eide –
(Der Geheime Rat tritt herein: beide springen mit lautem Ge-
schrei auf.)

Sechste Szene

GEH. RAT. Was habt ihr närrische Kinder? Was zittert ihr? –   5
Gleich, gesteht mir alles. Was habt ihr hier gemacht? Ihr seid
beide auf den Knien gelegen. – Junker Fritz, ich bitte mir eine
Antwort aus; unverzüglich: – Was habt ihr vorgehabt?
FRITZ. Ich, gnädigster Papa?
GEH. RAT. Ich? und das mit einem so verwundrungsvollen Ton?   10
Siehst du: ich merk' alles. Du möchtest mir itzt gern eine
Lüge sagen, aber entweder bist du zu dumm dazu, oder zu
feig, und willst dich mit deinem Ich? heraushelfen . . . Und
Sie Mühmchen? – Ich weiß, Gustchen verhehlt mir nichts.
GUSTCHEN *(fällt ihm um die Füße)*. Ach, mein Vater – –   15
GEH. RAT *(hebt sie auf und küßt sie)*. Wünschst du mich zu dei-
nem Vater? Zu früh, mein Kind, zu früh Gustchen, mein
Kind. Du hast noch nicht kommuniziert. – Denn warum soll
ich euch verhehlen, daß ich euch zugehört habe. – Das war
ein sehr einfältig Stückchen von euch beiden; besonders von   20
dir, großer vernünftiger Junker Fritz, der bald einen Bart
haben wird wie ich, und eine Perücke aufsetzen und einen
Degen anstecken. Pfui, ich glaubt' einen vernünftigern Sohn
zu haben. Das macht dich gleich ein Jahr jünger, und macht,
daß du länger auf der Schule bleiben mußt. Und Sie, Gust-   25
chen, auch Ihnen muß ich sagen, daß es sich für Ihr Alter gar
nicht mehr schickt, so kindisch zu tun. Was sind das für Romane, die Sie da spielen? Was für Eide, die Sie sich da schwören, und die ihr doch alle beide so gewiß brechen werdet als
ich itzt mit euch rede. Meint ihr, ihr seid in den Jahren, Eide   30
zu tun, oder meint ihr, ein Eid sei ein Kinderspiel, wie es das
Versteckspiel oder die Blinde Kuh ist? Lernt erst einsehen,
was ein Eid ist: lernt erst zittern dafür und alsdenn wagt's, ihn
zu schwören. Wißt, daß ein Meineidiger die schändlichste
und unglücklichste Kreatur ist, die von der Sonne angeschie-   35
nen wird. Ein solcher darf weder den Himmel ansehen, den
er verleugnet hat, noch andere Menschen, die sich unaufhör-
lich vor ihm scheuen, und seiner Gesellschaft mit mehr Sorg-

falt ausweichen, als einer Schlange oder einem tückischen
Hunde.

FRITZ. Aber ich denke meinen Eid zu halten.

GEH. RAT. In der Tat Romeo? Ha! Du kannst dich auch erstechen, wenn's dazu kommt. Du hast geschworen, daß mir die
Haare zu Berg standen. Also gedenkst du deinen Eid zu
halten?

FRITZ. Ja Papa, bei Gott! ich denk' ihn zu halten.

GEH. RAT. Schwur mit Schwur bekräftigt! – Ich werd' es deinem
Rektor beibringen. Er soll Euch auf vierzehn Tage nach Se-
kunda herunter transportieren, Junker: inskünftige lernt be-
hutsamer schwören. Und worauf? Steht das in deiner Gewalt, was du da versicherst? Du willst Gustchen heiraten!
Denk doch! weißt du auch schon, was für ein Ding das ist,
Heiraten? Geh doch, heirate sie: nimm sie mit auf die Akademie. Nicht? Ich habe nichts dawider, daß ihr euch gern
seht, daß ihr euch lieb habt, daß ihr's euch sagt, wie lieb ihr
euch habt; aber Narrheiten müßt ihr nicht machen; keine
Affen von uns Alten sein, eh' ihr so reif seid als wir; keine
Romane spielen wollen, die nur in der ausschweifenden Ein-
bildungskraft eines hungrigen Poeten ausgeheckt sind und
von denen ihr in der heutigen Welt keinen Schatten der
Wirklichkeit antrefft. Geht! ich werde keinem Menschen
was davon sagen, damit ihr nicht nötig habt rot zu werden,
wenn ihr mich seht. – Aber von nun an sollt ihr einander nie
mehr ohne Zeugen sehen. Versteht ihr mich? Und euch nie
andere Briefe schreiben als offene und das auch alle Monate, oder höchstens alle drei Wochen einmal, und sobald ein
heimliches Briefchen an Junker Fritz oder Fräulein Gustchen entdeckt wird – so steckt man den Junker unter die
Soldaten und das Fräulein ins Kloster, bis sie vernünftiger
werden. Versteht ihr mich? – Jetzt – nehmt Abschied, hier
in meiner Gegenwart. – Die Kutsche ist angespannt, der
Major treibt fort; die Schwägerin hat schon Kaffee getrunken. – Nehmt Abschied: ihr braucht euch vor mir nicht zu
scheuen. Geschwind, umarmt euch.

(Fritz und Gustchen umarmen sich zitternd.)

Und nun mein Tochter Gustchen, weil du doch das Wort so
gern hörst, *(hebt sie auf und küßt sie)* leb tausendmal wohl,
und begegne deiner Mutter mit Ehrfurcht; sie mag dir sagen
was sie will. – Jetzt geh, mach! –

*(Gustchen geht einige Schritte, sieht sich um; Fritz fliegt ihr
weinend an den Hals.)*
Die beiden Narren brechen mir das Herz! Wenn doch der
Major vernünftiger werden wollte, oder seine Frau weniger
herrschsüchtig! –   5

Zweiter Akt

Erste Szene

Pastor Läuffer. Der Geheime Rat.

GEH. RAT. Ich bedaure ihn – und Sie noch vielmehr, Herr Pastor,
daß Sie solchen Sohn haben.

PASTOR. Verzeihen Euer Gnaden, ich kann mich über meinen
Sohn nicht beschweren; er ist ein sittsamer und geschickter
Mensch, die ganze Welt und Dero Herr Bruder und Frau
Schwägerin selbst werden ihm das eingestehen müssen.

GEH. RAT. Ich sprech' ihm das all nicht ab, aber er ist ein Tor,
und hat alle sein Mißvergnügen sich selber zu danken. Er
sollte den Sternen danken, daß meinem Bruder das Geld, das
er für den Hofmeister zahlt, einmal anfängt zu lieb zu
werden.

PASTOR. Aber bedenken Sie doch: nichts mehr als hundert
Dukaten; hundert arme Dukätchen; und dreihundert hatt' er
ihm doch im ersten Jahr versprochen: aber beim Schluß des-
selben nur hundertundvierzig ausgezahlt, jetzt beim Be-
schluß des zweiten, da doch die Arbeit meines Sohnes immer
zunimmt, zahlt' er ihm hundert, und nun beim Anfang des
dritten wird ihm auch das zu viel. – Das ist wider alle Billig-
keit! Verzeihn Sie mir.

GEH. RAT. Laß es doch. – Das hätt' ich euch Leuten voraussagen
wollen, und doch sollt' Ihr Sohn Gott danken, wenn ihn nur
der Major beim Kopf nähm' und aus dem Hause würfe. Was
soll er da, sagen Sie mir Herr? Wollen Sie ein Vater für Ihr
Kind sein und schließen so Augen, Mund und Ohren für seine
ganze Glückseligkeit zu? Tagdieben, und sich Geld dafür bezahlen lassen? Die edelsten Stunden des Tages bei einem
jungen Herrn versitzen, der nichts lernen mag und mit dem
er's doch nicht verderben darf, und die übrigen Stunden, die
der Erhaltung seines Lebens, den Speisen und dem Schlaf
geheiligt sind, an einer Sklavenkette verseufzen; an den Win-
ken der gnädigen Frau hängen, und sich in die Falten des
gnädigen Herrn hineinstudieren; essen wenn er satt ist und
fasten, wenn er hungrig ist, Punsch trinken, wenn er p-ss-n
möchte, und Karten spielen, wenn er das Laufen hat. Ohne

Freiheit geht das Leben bergab rückwärts, Freiheit ist das
Element des Menschen wie das Wasser des Fisches, und ein
Mensch der sich der Freiheit begibt, vergiftet die edelsten
Geister seines Bluts, erstickt seine süßesten Freuden des Le-
bens in der Blüte und ermordet sich selbst.   5

PASTOR. Aber – Oh! erlauben Sie mir; das muß sich ja jeder
Hofmeister gefallen lassen; man kann nicht immer seinen
Willen haben, und das läßt sich mein Sohn auch gern gefallen,
nur –

GEH. RAT. Desto schlimmer, wenn er sich's gefallen läßt, desto   10
schlimmer; er hat den Vorrechten eines Menschen entsagt,
der nach seinen Grundsätzen muß leben können, sonst bleibt
er kein Mensch. Mögen die Elenden, die ihre Ideen nicht zu
höherer Glückseligkeit zu erheben wissen, als zu essen und zu
trinken, mögen die sich im Käficht zu Tode füttern lassen,   15
aber ein Gelehrter, ein Mensch, der den Adel seiner Seele
fühlt, der den Tod nicht so scheuen sollt' als eine Handlung,
die wider seine Grundsätze läuft . . .

PASTOR. Aber was ist zu machen in der Welt? Was wollte mein
Sohn anfangen, wenn Dero Herr Bruder ihm die Kondition   20
aufsagten?

GEH. RAT. Laßt den Burschen was lernen, daß er dem Staat
nützen kann. Potz hundert Herr Pastor, Sie haben ihn doch
nicht zum Bedienten aufgezogen, und was ist er anders als
Bedienter, wenn er seine Freiheit einer Privatperson für eini- 25
ge Handvoll Dukaten verkauft? Sklav ist er, über den die
Herrschaft unumschränkte Gewalt hat, nur daß er so viel auf
der Akademie gelernt haben muß, ihren unbesonnenen An-
mutungen von weitem zuvor zu kommen und so einen Firnis
über seine Dienstbarkeit zu streichen: das heißt denn ein   30
feiner artiger Mensch, ein unvergleichlicher Mensch; ein unvergleichlicher Schurke, der, statt seine Kräfte und seinen
Verstand dem allgemeinen Besten aufzuopfern, damit die
Rasereien einer dampfigten Dame und eines abgedämpften
Offiziers unterstützt, die denn täglich weiter um sich fressen   35
wie ein Krebsschaden und zuletzt unheilbar werden. Und was
ist der ganze Gewinst am Ende? Alle Mittag Braten und alle
Abend Punsch, und eine große Portion Galle, die ihm tags-
über ins Maul gestiegen, abends, wenn er zu Bett liegt, hinab-
geschluckt, wie Pillen; das macht gesundes Blut, auf meine   40
Ehr'! und muß auch ein vortreffliches Herz auf die Länge

geben. Ihr beklagt Euch so viel übern Adel und über seinen
Stolz, die Leute sähn Hofmeister wie Domestiken an, Narren! was sind sie denn anders? Stehn sie nicht in Lohn und
Brot bei ihnen wie jene? Aber wer heißt euch ihren Stolz
5 nähren? Wer heißt euch Domestiken werden, wenn ihr was
gelernt habt, und einem starrköpfischen Edelmann zinsbar
werden, der sein Tage von seinen Hausgenossen nichts anders gewohnt war als sklavische Unterwürfigkeit?

PASTOR. Aber Herr Geheimer Rat – Gütiger Gott! es ist in der
10 Welt nicht anders; man muß eine Warte haben, von der man
sich nach einem öffentlichen Amt umsehen kann, wenn man
von Universitäten kommt; wir müssen den göttlichen Ruf erst
abwarten und ein Patron ist sehr oft das Mittel zu unserer
Beförderung: wenigstens ist es mir so gegangen.

15 GEH. RAT. Schweigen Sie, Herr Pastor, ich bitt' Sie, schweigen
Sie. Das gereicht Ihnen nicht zur Ehr. Man weiß ja doch, daß
Ihre selige Frau Ihr göttlicher Ruf war, sonst säßen Sie noch
itzt beim Herrn von Tiesen und düngten ihm seinen Acker.
Jemine! daß Ihr Herrn uns doch immer einen so ehrwürdigen
20 schwarzen Dunst vor Augen machen wollt. Noch nie hat ein
Edelmann einen Hofmeister angenommen, wo er ihm nicht
hinter eine Allee von acht neun Sklavenjahren ein schön Gemälde von Beförderung gestellt hat und wenn ihr acht Jahr
gegangen waret, so macht' er's wie Laban und rückte das Bild
25 um noch einmal so weit vorwärts. Possen! lernt etwas und
seid brave Leut. Der Staat wird euch nicht lang am Markt
stehen lassen. Brave Leut sind allenthalben zu brauchen,
aber Schurken, die den Namen vom Gelehrten nur auf den
Zettel tragen und im Kopf ist leer Papier . . .

30 PASTOR. Das ist sehr allgemein gesprochen, Herr Rat! – Es müssen doch, bei Gott! auch Hauslehrer in der Welt sein; nicht
jedermann kann gleich Geheimer Rat werden und wenn er
gleich ein Hugo Grotius wär'. Es gehören heutiges Tags andere Sachen dazu als Gelehrsamkeit. –

35 GEH. RAT. Sie werden warm, Herr Pastor! – Lieber, werter Herr
Pastor, lassen Sie uns den Faden unsers Streits nicht verlieren. Ich behaupt': es müssen keine Hauslehrer in der Welt
sein! das Geschmeiß taugt den Teufel zu nichts.

PASTOR. Ich bin nicht hergekommen mir Grobheiten sagen zu
40 lassen: ich bin auch Hauslehrer gewesen. Ich habe die
Ehre – –

GEH. RAT. Warten Sie; bleiben Sie, lieber Herr Pastor! Behüte
mich der Himmel! Ich habe Sie nicht beleidigen wollen und
wenn's wider meinen Willen geschehen ist, so bitt' ich Sie
tausendmal um Verzeihung. Es ist einmal meine üble Ge-
wohnheit, daß ich gleich in Feuer gerate, wenn mir ein Ge-   5
spräch interessant wird: alles übrige verschwind't mir denn
aus dem Gesicht und ich sehe nur den Gegenstand, von dem
ich spreche.

PASTOR. Sie schütten, – Verzeihen Sie mir, ich bin auch ein
Cholerikus, und rede gern von der Lunge ab. – Sie schütten   10
das Kind mit dem Bade aus. Hauslehrer taugen zu nichts. –
Wie können Sie mir das beweisen! Wer soll euch jungen
Herrn denn Verstand und gute Sitten beibringen! Was wär'
aus Ihnen geworden, mein werter Herr Geheimer Rat, wenn
Sie keinen Hauslehrer gehabt hätten?   15

GEH. RAT. Ich bin von meinem Vater zur öffentlichen Schul
gehalten worden, und segne seine Asche dafür, und so hoff'
ich, wird mein Sohn Fritz auch dereinst tun.

PASTOR. Ja, – da ist aber noch viel drüber zu sagen Herr! Ich
meinerseits bin Ihrer Meinung nicht; ja wenn die öffentlichen 20
Schulen das wären, was sie sein sollten. – Aber die nüchternen Subjecta, so oft den Klassen vorstehen; die pedantischen
Methoden, die sie brauchen, die unter der Jugend eingerisse-
nen verderbten Sitten –

GEH. RAT. Wes ist die Schuld? Wer ist schuld dran, als ihr Schur- 25
ken von Hauslehrern? Würde der Edelmann nicht von euch
in der Grille gestärkt, einen kleinen Hof anzulegen, wo er als
Monarch oben auf dem Thron sitzt, und ihm Hofmeister und
Mamsell und ein ganzer Wisch von Tagdieben huldigen, so
würd' er seine Jungen in die öffentliche Schule tun müssen; er 30
würde das Geld, von dem er jetzt seinen Sohn zum hochadli-
chen Dummkopf aufzieht, zum Fonds der Schule schlagen:
davon könnten denn gescheite Leute salariert werden und
alles würde seinen guten Gang gehn; das Studentchen müßte
was lernen, um bei einer solchen Anstalt brauchbar zu wer-   35
den, und das junge Herrchen, anstatt seine Faulenzerei vor
den Augen des Papas und der Tanten, die alle keine Argusse
sind, künstlich und manierlich zu verstecken, würde seinen
Kopf anstrengen müssen, um es den bürgerlichen Jungen zu-
vorzutun, wenn es sich doch von ihnen unterscheiden will. –   40
Was die Sitten anbetrifft, das find't sich wahrhaftig. – Wenn

er gleich nicht, wie seine hochadliche Vettern, die Nase von
Kindesbeinen an höher tragen lernt als andere, und in einem
nachlässigen Ton, von oben herab, Unsinn sagen, und Leuten ins Gesicht sehen, wenn sie den Hut vor ihm abziehen, um
5   ihnen dadurch anzudeuten, daß sie auf kein Gegenkompli-
ment warten sollen. Die feinen Sitten hol' der Teufel! Man
kann dem Jungen Tanzmeister auf der Stube halten, und ihn
in artige Gesellschaften führen, aber er muß durchaus nicht
aus der Sphäre seiner Schulkamraden herausgehoben, und
10   in der Meinung gestärkt werden, er sei eine bessere Kreatur
als andere.

PASTOR. Ich habe nicht Zeit, *(zieht die Uhr heraus)* mich in den
Disput weiter mit Ihnen einzulassen, gnädiger Herr; aber so
viel weiß ich, daß der Adel überall nicht Ihrer Meinung sein
15   wird.

GEH. RAT. So sollten die Bürger meiner Meinung sein. – Die Not
würde den Adel schon auf andere Gedanken bringen, und wir
könnten uns bessere Zeiten versprechen. Sapperment, was
kann aus unserm Adel werden wenn ein einziger Mensch das
20   Faktotum bei dem Kinde sein soll, ich setz' auch den unmögli-
chen Fall, daß er ein Polyhistor wäre, wo will der eine Mann
Feuer und Mut und Tätigkeit hernehmen, wenn er alle seine
Kräfte auf einen Schafskopf konzentrieren soll, besonders
wenn Vater und Mutter sich kreuz und die quer immer mit in
25   die Erziehung mengen, und dem Faß, in welches er füllt, den
Boden immer wieder ausschlagen?

PASTOR. Ich bin um zehn Uhr zu einem Kranken bestellt. Sie
werden mir verzeihen. – *(Im Abgehen wend't er sich um.)*
Aber wär's nicht möglich, gnädiger Herr, daß Sie Ihren zwei-
30   ten Sohn nur auf ein halb Jährchen zum Herrn Major in die
Kost täten? Mein Sohn will gern mit achtzig Dukaten zufrieden sein, aber mit sechzigen, die ihm der Herr Bruder geben
wollen, da kann er nicht von subsistieren.

GEH. RAT. Laß ihn quittieren. – Ich tu' es nicht, Herr Pastor!
35   Davon bin ich nicht abzubringen. Ich will Ihrem Herrn Sohn
die dreißig Dukaten lieber schenken; aber meinen Sohn geb'
ich zu keinem Hofmeister.

(Der Pastor hält ihm einen Brief hin.)
Was soll ich damit? Es ist alles umsonst, sag' ich Ihnen.

40   PASTOR. Lesen Sie – Lesen Sie nur –

GEH. RAT. Je nun, ihm ist nicht – *(Liest.)* »– – wenden Sie doch

alles an, den Herrn Geheimen Rat dahin zu vermögen, – – Sie
können sich nicht vorstellen, wie elend es mir hier geht; nichts
wird mir gehalten, was mir ist versprochen worden. Ich speise
nur mit der Herrschaft, wenn keine Fremde da sind, – – das
ärgste ist, daß ich gar nicht von hier komme und in einem 5
ganzen Jahr meinen Fuß nicht aus Heidelbrunn habe setzen –
man hatte mir ein Pferd versprochen, alle Vierteljahr einmal
nach Königsberg zu reisen, als ich es foderte, fragte mich die
gnädige Frau, ob ich nicht lieber zum Karneval nach Venedig
wollte.« – *(Wirft den Brief an die Erde.)* Je nun, laß ihn quit- 10
tieren; warum ist er ein Narr und bleibt da?

PASTOR. Ja das ist eben die Sache. *(Hebt den Brief auf.)* Belieben
Sie doch nur auszulesen.

GEH. RAT. Was ist da zu lesen? – *(Liest.)* »Dem ohngeachtet
kann ich dies Haus nicht verlassen, und sollt' es mich Leben 15
und Gesundheit kosten. So viel darf ich Ihnen sagen, daß die
Aussichten in eine selige Zukunft mir alle die Mühseligkeiten
meines gegenwärtigen Standes –« Ja, das sind vielleicht Aussichten in die selige Ewigkeit, sonst weiß ich keine Aussichten, die mein Bruder ihm eröffnen könnte. Er betrügt sich, 20
glauben Sie mir's; schreiben Sie ihm zurück, daß er ein Tor
ist. Dreißig Dukaten will ich ihm dies Jahr aus meinem Beutel
Zulage geben, aber ihn auch zugleich gebeten haben, mich
mit allen fernern Anwerbungen um meinen Karl zu verscho-
nen: denn ihm zu Gefallen werd' ich mein Kind nicht ver- 25
wahrlosen.

Zweite Szene

In Heidelbrunn.

Gustchen, Läuffer.

GUSTCHEN. Was fehlt Ihnen dann? 30

LÄUFFER. Wie steht's mit meinem Porträt? Nicht wahr, Sie
haben nicht dran gedacht? Wenn ich auch so saumselig gewesen wäre – Hätt' ich das gewußt: ich hätt' Ihren Brief solang
zurückgehalten, aber ich war ein Narr.

GUSTCHEN. Ha ha ha. Lieber Herr Hofmeister! Ich habe wahr- 35
haftig noch nicht Zeit gehabt.

LÄUFFER. Grausame!

GUSTCHEN. Aber was fehlt Ihnen denn? Sagen Sie mir doch! So
tiefsinnig sind Sie ja noch nie gewesen. Die Augen stehn
Ihnen ja immer voll Wasser: ich habe gemerkt, Sie essen
nichts.

5 LÄUFFER. Haben Sie? In der Tat? Sie sind ein rechtes Muster des
Mitleidens.

GUSTCHEN. O Herr Hofmeister

LÄUFFER. Wollen Sie heut nachmittag Zeichenstunde halten?

GUSTCHEN *(faßt ihn an die Hand)*. Liebster Herr Hofmeister!
10 verzeihen Sie, daß ich sie gestern aussetzte. Es war mir wahrhaftig unmöglich zu zeichnen; ich hatte den Schnuppen auf
eine erstaunende Art.

LÄUFFER. So werden Sie ihn wohl heute noch haben. Ich denke,
wir hören ganz auf zu zeichnen. Es macht Ihnen kein Vergnü-
15 gen länger.

GUSTCHEN *(halb weinend)*. Wie können Sie das sagen, Herr
Läuffer? Es ist das einzige, was ich mit Lust tue.

LÄUFFER. Oder Sie versparen es bis auf den Winter in die Stadt
und nehmen einen Zeichenmeister. Überhaupt werd' ich Ih-
20 ren Herrn Vater bitten, den Gegenstand Ihres Abscheues,
Ihres Hasses, Ihrer ganzen Grausamkeit von Ihnen zu entfer-
nen Ich sehe doch, daß es Ihnen auf die Länge unausstehlich
wird, von mir Unterricht anzunehmen.

GUSTCHEN. Herr Läuffer –

25 LÄUFFER. Lassen Sie mich – Ich muß sehen, wie ich das elende
Leben zu Ende bringe, weil mir doch der Tod verboten ist

GUSTCHEN. Herr Läuffer –

LÄUFFER. Sie foltern mich. – *(Reißt sich los und geht ab.)*

GUSTCHEN. Wie dauert er mich!

30   Dritte Szene

Zu Halle in Sachsen.

Pätus' Zimmer.

Fritz von Berg. Pätus, im Schlafrock an einem Tisch sitzend.

PÄTUS. Ei was Berg! Du bist ja kein Kind mehr, daß du nach
35 Papa und Mama – Pfui Teufel! ich hab' dich allezeit für einen
braven Kerl gehalten, wenn du nicht mein Schulkamerad
wärst: ich würde mich schämen mit dir umzugehen.

FRITZ. Pätus, auf meine Ehr, es ist nicht Heimweh, du machst
mich bis über die Ohren rot mit dem dummen Verdacht. Ich
möchte gern Nachricht von Hause haben, das gesteh' ich,
aber das hat seine Ursachen – –

PÄTUS. Gustchen – Nicht wahr? Denk doch, du arme Seele!   5
Hundertachtzig Stunden von ihr entfernt – Was für Wälder
und Ströme liegen nicht zwischen euch? Aber warte, wir haben hier auch Mädchen; wenn ich nur besser besponnen wäre, ich wollte dich heut in eine Gesellschaft führen – Ich weiß
nicht, wie du auch bist; ein Jahr in Halle und noch mit keinem   10
Mädchen gesprochen: das muß melancholisch machen; es
kann nicht anders sein. Warte, du mußt mir hier einziehn,
daß du lustig wirst. Was machst du da bei dem Pfarrer? Das ist
keine Stube für dich –

FRITZ. Was zahlst du hier?   15

PÄTUS. Ich zahle – Wahrhaftig, Bruder, ich weiß es nicht. Es ist
ein guter ehrlicher Philister, bei dem ich wohne: seine Frau
freilich bisweilen ein bißchen wunderlich, aber mag's. Was
geht's mich an? Wir zanken uns einmal herum und denn lass'
ich sie laufen: und die schreiben mir alles auf, Hausmiete,   20
Kaffee, Tabak; alles was ich verlange, und denn zahl' ich die
Rechnung alle Jahre, wenn mein Wechsel kommt.

FRITZ. Bist du jetzt viel schuldig?

PÄTUS. Ich habe die vorige Woche bezahlt. Das ist wahr, diesmal
haben sie mir's arg gemacht: mein ganzer Wechsel hat herhal-   25
ten müssen bis auf den letzten Pfennig, und mein Rock, den
ich tags vorher versetzt hatte, weil ich in der äußersten Not
war, steht noch zu Gevattern. Weiß der Himmel, wenn ich
ihn wieder einlösen kann.

FRITZ. Und wie machst du's denn itzt?   30

PÄTUS. Ich? – Ich bin krank. Heut morgen hat mich die Frau
Rätin Hamster invitieren lassen, gleich kroch ich ins Bett . . .

FRITZ. Aber bei dem schönen Wetter immer zu Hause zu sitzen.

PÄTUS. Was macht das? des Abends geh' ich im Schlafrock spazieren, es ist ohnedem in den Hundstagen am Tage nicht   35
auszuhalten – Aber potz Mordio! Wo bleibt denn mein Kaffee? *(Pocht mit dem Fuß.)* Frau Blitzer! – Nun sollst du sehn,
wie ich meinen Leuten umspringe – Frau Blitzer! in aller Welt
Frau Blitzer. *(Klingelt und pocht.)* – Ich habe sie kürzlich
bezahlt: nun kann ich schon breiter tun – Frau . . .   40
(Frau Blitzer tritt herein mit einer Portion Kaffee.)

PÄTUS. In aller Welt, Mutter! wo bleibst du denn? Das Wetter soll dich regieren. Ich warte hier schon über eine Stunde –

FRAU BLITZER. Was? Du nichtsnutziger Kerl, was lärmst du? Bist du schon wieder nichts nutz, abgeschabte Laus? Den Augenblick trag' ich meinen Kaffee wieder herunter –

PÄTUS *(gießt sich ein)*. Nun, nun, nicht so böse Mutter! aber Zwieback – Wo ist denn Zwieback?

FRAU BLITZER. Ja, kleine Steine dir! Es ist kein Zwieback im Hause. Denk doch, ob so ein kahler lausichter Kerl nun alle Nachmittag Zwieback frißt oder nicht –

PÄTUS. Was tausend alle Welt! *(Stampft mit dem Fuß.)* Sie weiß, daß ich keinen Kaffee ohne Zwieback ins Maul nehme – Wofür gebe ich denn mein Geld aus –

FRAU BLITZER. *(langt ihm Zwieback aus der Schürze, wobei sie ihn an den Haaren zupft).* Da siehst du, da ist Zwieback, Posaunenkerl! Er hat eine Stimme wie ein ganzes Regiment Soldaten. Nu, ist der Kaffee gut? Ist er nicht? Gleich sag mir's, oder ich reiss' Ihm das letzte Haar aus Seinem kahlen Kopf heraus.

PÄTUS. *(trinkt)*. Unvergleichlich – Aye! – Ich hab' in meinem Leben keinen bessern getrunken.

FRAU BLITZER. Siehst du Hundejunge! Wenn du die Mutter nicht hättest, die sich deiner annähme und dir zu essen und zu trinken gäbe, du müßtest an der Straße verhungern. Sehen Sie ihn einmal an, Herr von Berg, wie er dahergeht, keinen Rock auf dem Leibe und sein Schlafrock ist auch, als ob er darin wär' aufgehenkt worden und wieder vom Galgen gefallen. Sie sind doch ein hübscher Herr, ich weiß nicht wie Sie mit dem Menschen umgehen können, nun freilich unter Landsleuten da ist immer so eine kleine Blutsverwandtschaft, drum sag' ich immer, wenn doch der Herr von Berg zu uns einlogieren täte. Ich weiß, daß Sie viel Gewalt über ihn haben: da könnte doch noch was Ordentliches aus ihm werden, aber sonst wahrhaftig – *(Geht ab.)*

PÄTUS. Siehst du, ist das nicht ein gut fidel Weib. Ich seh' ihr all etwas durch die Finger, aber potz, wenn ich auch einmal ernsthaft werde, kusch ist sie wie die Wand – Willst du nicht eine Tasse mittrinken? *(Gießt ihm ein.)* Siehst du, ich bin hier wohl bedient; ich zahle was Rechts, das ist wahr, aber dafür hab' auch ich was . . .

FRITZ *(trinkt)*. Der Kaffee schmeckt nach Gerste.

PÄTUS. Was sagst du? – *(Schmeckt gleichfalls.)* Ja wahrhaftig,
    mit dem Zwieback hab' ich's nicht so – *(Sieht in die Kanne.)*
    Nun so hol' dich! *(Wirft das Kaffeezeug zum Fenster hinaus.)*
    Gerstenkaffee und fünfhundert Gulden jährlich! –
FRAU BLITZER *(stürzt herein).* Wie? Was zum Teufel, was ist das?   5
    Herr, ist Er rasend oder plagt Ihn gar der Teufel? –
PÄTUS. Still Mutter!
FRAU BLITZER *(mit gräßlichem Geschrei).* Aber wo ist mein Kaf-
    feezeug? Ei! zum Henker! aus dem Fenster – Ich kratz' Ihm
    die Augen aus dem Kopf heraus.   10
PÄTUS. Es war eine Spinne darin und ich warf's in der Angst –
    Was kann ich dafür, daß das Fenster offen stand?
FRAU BLITZER. Daß du verreckt wärst an der Spinne, wenn ich
    dich mit Haut und Haar verkaufe, so kannst du mir mein
    Kaffeezeug nicht bezahlen, nichtswürdiger Hund! Nichts als   15
    Schaden und Unglück kann Er machen. Ich will dich verkla-
    gen; ich will dich in Karzer werfen lassen. *(Läuft hinaus.)*
PÄTUS *(lachend).* Was ist zu machen, Bruder! man muß sie schon
    ausrasen lassen.
FRITZ. Aber für dein Geld?   20
PÄTUS. Ei was! – Wenn ich bis Weihnachten warten muß, wer
    wird mir sogleich bis dahin kreditieren? Und denn ist's ja nur
    ein Weib und ein närrisch Weib dazu, dem's nicht immer so
    von Herzen geht: wenn mir's der Mann gesagt hätte, das wär'
    was anders, dem schlüg' ich das Leder voll – Siehst du wohl!   25
FRITZ. Hast du Feder und Tinte?
PÄTUS. Dort auf dem Fenster –
FRITZ. Ich weiß nicht, das Herz ist mir so schwer – Ich habe nie
    was auf Ahndungen gehalten.
PÄTUS. Ja mir auch – Die Döbblinsche Gesellschaft ist angekom-   30
    men. Ich möchte gern in die Komödie gehn und habe keinen
    Rock anzuziehen. Der Schurke mein Wirt leiht mir keinen
    und ich bin eine so große dicke Bestie, daß mir keiner von all
    euren Röcken passen würde.
FRITZ. Ich muß gleich nach Hause schreiben. *(Setzt sich an ein*   35
    Fenster nieder und schreibt.)
PÄTUS *(setzt sich einem Wolfspelz gegenüber, der an der Wand*
    hängt). Hm! nichts als den Pelz gerettet, von allen meinen
    Kleidern, die ich habe, und die ich mir noch wollte machen
    lassen. Grade den Pelz, den ich im Sommer nicht tragen   40
    kann, und den mir nicht einmal der Jude zum Versatz an-

nimmt, weil sich der Wurm leicht hineinsetzt. Hanke, Hanke!
das ist doch unverantwortlich, daß du mir keinen Rock auf
Pump machen willst. *(Steht auf und geht herum.)* Was hab' ich
dir getan, Hanke, daß du just mir keinen Rock machen willst?
5   Just mir, der ich ihn am nötigsten brauche, weil ich jetzo
keinen habe, just mir! – Der Teufel muß dich besitzen, er
macht Hunz und Kunz auf Kredit und just mir nicht! *(Faßt
sich an den Kopf und stampft mit dem Fuß.)* Just mir nicht,
just mir nicht! –
10 BOLLWERK *(der sich mittlerweile hineingeschlichen und ihm*
zugehört, faßt ihn an: er kehrt sich um und bleibt stumm vor
Bollwerk stehen). Ha ha ha ... Nun du armer Pätus – ha ha
ha! Nicht wahr, es ist doch ein gottloser Hanke, daß er just dir
nicht – Aber, wo ist das rote Kleid mit Gold, das du bei ihm
15 bestellt hast, und das blauseidne mit der silberstücknen We-
ste, und das rotsammetne mit schwarz Sammet gefüttert, das
wir vortrefflich bei dieser Jahrzeit. Sage mir! antworte mir!
Der verfluchte Hanke! Wollen wir gehn und ihm die Haut
vollschlagen? Wo bleibt er so lang mit deiner Arbeit? Wollen
20 wir?
PÄTUS *(wirft sich auf einen Stuhl).* Laß mich zufrieden.
BOLLWERK. Aber hör Pätus, Pätus, Pä Pä Pä Pätus *(Setzt sich zu*
ihm.) Döbblin ist angekommen. Hör Pä Pä Pä Pä Pätus,
wie wollen wir das machen? Ich denke, du ziehst Deinen
25 Wolfspelz an und gehst heut abend in die Komödie. Was
schadt's, du bist doch fremd hier – und die ganze Welt weiß,
daß du vier Paar Kleider bei Hanke bestellt hast. Ob er sie dir
machen wird, ist gleichviel! – Der verfluchte Kerl! Wollen
ihm die Fenster einschlagen, wenn er sie dir nicht macht!
30 PÄTUS *(heftig).* Laß mich zufrieden, sag' ich dir.
BOLLWERK. Aber hör ... aber ... aber ... hör hör hör, Pätus;
nimm dich in acht Pätus! daß du mir des Nachts nicht mehr im
Schlafrock auf der Gasse läufst. Ich weiß, daß du bange bist
vor Hunden; es ist eben ausgetrummelt worden, daß zehn
35 wütige Hunde in der Stadt herumlaufen sollen; sie haben
schon einige Kinder gebissen: zwei sind noch davon kommen,
aber vier sind auf der Stelle gestorben. Das machen die
Hundstage? Nicht wahr Pätus? Es ist gut, daß du jetzt nicht
ausgehen kannst. Nicht wahr? Du gehst itzt mit allem Fleiß
40 nicht aus? Nicht wahr Pä Pä Pätus?
PÄTUS. Laß mich zufrieden ... oder wir verzürnen uns.

BOLLWERK. Du wirst doch kein Kind sein – Berg, kommen Sie
mit in die Komödie?

FRITZ *(zerstreut)*. Was? – Was für Komödie?

BOLLWERK. Es ist eine Gesellschaft angekommen – Legen Sie
die Schmieralien weg. Sie können ja auf den Abend schrei-   5
ben. Man gibt heut »Minna von Barnhelm«.

FRITZ. O die muß ich sehen. – – *(Steckt seine Briefe zu sich.)*
Armer Pätus, daß du keinen Rock hast. –

BOLLWERK. Ich lieh' ihm gern einen, aber es ist hol' mich der
Teufel mein einziger, den ich auf dem Leibe habe – *(Gehn*   10
ab.)

PÄTUS *(allein)*. Geht zum Teufel mit eurem Mitleiden! Das
ärgert mich mehr als wenn man mir ins Gesicht schlüge – – Ei
was mach' ich mir draus. *(Zieht seinen Schlafrock aus.)* Laß
die Leute mich für wahnwitzig halten! »Minna von Barn-   15
helm« muß ich sehen und wenn ich nackend hingehen sollte!
(Zieht den Wolfspelz an.) Hanke, Hanke! es soll dir zu Hause
kommen! *(Stampft mit dem Fuß.)* Es soll dir zu Hause kommen! *(Geht.)*

Vierte Szene   20

Frau Hamster. Jungfer Hamster. Jungfer Knicks.

JUNGFER KNICKS. Ich kann's Ihnen vor Lachen nicht erzählen,
Frau Rätin, ich muß krank vor Lachen werden. Stellen Sie
sich vor: wir gehen mit Jungfer Hamster im Gäßchen hier nah
bei, so läuft uns ein Mensch im Wolfspelz vorbei, als ob er   25
durch Spießruten gejagt würde; drei große Hunde hinter ihm
drein. Jungfer Hamster bekam einen Schubb, daß sie mit dem
Kopf an die Mauer schlug und überlaut schreien mußte.

FRAU HAMSTER. Wer war es denn?

JUNGFER KNICKS. Stellen Sie sich vor, als wir ihm nachsahen,   30
war's Herr Pätus – Er muß rasend worden sein.

FRAU HAMSTER. Mit einem Wolfspelz in dieser Hitze!

JUNGFER HAMSTER *(hält sich den Kopf)*. Ich glaube noch immer,
er ist aus dem hitzigen Fieber aufgesprungen. Er ließ uns heut
Morgen sagen, er sei krank.   35

JUNGFER KNICKS. Und die drei Hunde hinter ihm drein, das war
das Lustigste. Ich hatte mir vorgenommen heut in die Komödie zu gehen, aber nun mag ich nicht, ich würde doch da nicht

soviel zu lachen kriegen. Das vergess' ich mein Lebtage nicht.
Seine Haare flogen ihm nach wie der Schweif an einem Ko-
meten, und je eifriger er lief, desto eifriger schlugen die Hunde an und er hatte das Herz nicht, sich einmal umzusehen . . .
Das war unvergleichlich!

FRAU HAMSTER. Schrie er nicht? Er wird gemeint haben, die
Hunde sein wütig.

JUNGFER KNICKS. Ich glaub', er hatte keine Zeit zum Schreien,
aber rot war er wie ein Krebs und hielt das Maul offen, wie die
Hunde hinter ihm drein – O das war nicht mit Geld zu bezahlen! Ich gäbe nicht meine Schnur echter Perlen darum, daß
ich das nicht gesehen.

Fünfte Szene

In Heidelbrunn.

Augustchens Zimmer.

Gustchen liegt auf dem Bette. Läuffer sitzt am Bette.

LÄUFFER. Stell dir vor Gustchen, der Geheime Rat will nicht.
Du siehst, daß dein Vater mir das Leben immer saurer macht:
nun will er mir gar aufs folgende Jahr nur vierzig Dukaten
geben. Wie kann ich das aushalten? Ich muß quittieren.

GUSTCHEN. Grausamer, und was werd' ich denn anfangen?
(Nachdem beide eine Zeitlang sich schweigend angesehen.)
Du siehst: ich bin schwach, und krank; hier in der Einsamkeit
unter einer barbarischen Mutter – Niemand fragt nach mir,
niemand bekümmert sich um mich: meine ganze Familie
kann mich nicht mehr leiden; mein Vater selber nicht mehr:
ich weiß nicht warum.

LÄUFFER. Mach, daß du zu meinem Vater in die Lehre kommst;
nach Insterburg.

GUSTCHEN. Da kriegen wir uns nie zu sehen. Mein Onkel leid't
es nimmer, daß mein Vater mich zu deinem Vater ins Haus
gibt.

LÄUFFER. Mit dem verfluchten Adelstolz!

GUSTCHEN *(nimmt seine Hand).* Wenn du auch böse wirst, Herr
mannchen! *(Küßt sie.)* O Tod! Tod! warum erbarmst Du Dich
nicht!

LÄUFFER. Rate mir selber – Dein Bruder ist der ungezogene

Junge den ich kenne: neulich hat er mir eine Ohrfeige gegeben und ich durft' ihm nichts dafür tun, durft' nicht einmal
drüber klagen. Dein Vater hätt' ihm gleich Arm und Bein
gebrochen und die gnädige Mama alle Schuld zuletzt auf mich
geschoben.   5

GUSTCHEN. Aber um meinetwillen – Ich dachte, du liebtest
mich.

LÄUFFER *(stützt sich mit der andern Hand auf ihrem Bett, indem
sie fortfährt seine eine Hand von Zeit zu Zeit an die Lippen zu
bringen).* Laß mich denken . . . *(Bleibt nachsinnend sitzen.)*   10

GUSTCHEN *(in der beschriebenen Pantomime).* O Romeo! Wenn
dies deine Hand wäre. – Aber so verlässest du mich, unedler
Romeo! Siehst nicht, daß deine Julie für dich stirbt – von der
ganzen Welt, von ihrer ganzen Familie gehaßt, verachtet,
ausgespien. *(Drückt seine Hand an ihre Augen.)* O un-   15
menschlicher Romeo!

LÄUFFER *(sieht auf).* Was schwärmst du wieder?

GUSTCHEN. Es ist ein Monolog aus einem Trauerspiel, den ich
gern rezitiere, wenn ich Sorgen habe. *(Läuffer fällt wieder in
Gedanken, nach einer Pause fangt sie wieder an.)* Vielleicht   20
bist du nicht ganz strafbar. Deines Vaters Verbot, Briefe mit
mir zu wechseln, aber die Liebe setzt über Meere und Ströme, über Verbot und Todesgefahr selbst – Du hast mich vergessen . . . Vielleicht besorgtest du für mich – Ja, ja, dein
zärtliches Herz sah, was mir drohte, für schröcklicher an, als   25
das was ich leide. *(Küßt Läuffers Hand inbrünstig.)* O göttlicher Romeo!

LÄUFFER *(küßt ihre Hand lange wieder und sieht sie eine Weile
stumm an).* Es könnte mir gehen wie Abälard –

GUSTCHEN *(richtet sich auf).* Du irrst dich – Meine Krankheit   30
liegt im Gemüt – Niemand wird dich mutmaßen – *(Fällt
wieder hin.)* Hast du »Die neue Heloise« gelesen?

LÄUFFER. Ich höre was auf dem Gang nach der Schulstube. –

GUSTCHEN. Meines Vaters – Um Gottes willen! – Du bist drei
Viertelstund zu lang hiergeblieben. *(Läuffer läuft fort.)*   35

Sechste Szene

Die Majorin. Graf Wermuth.

GRAF. Aber gnädige Frau! kriegt man denn Fräulein Gustchen
gar nicht mehr zu sehen? Wie befind't sie sich auf die vorge-
5 strige Jagd?

MAJORIN. Zu Ihrem Befehl; sie hat die Nacht Zahnschmerzen
gehabt, darum darf sie sich heut nicht sehen lassen. Was
macht Ihr Magen, Graf! auf die Austern?

GRAF. O das bin ich gewohnt. Ich habe neulich mit meinem
10 Bruder ganz allein auf unsre Hand sechshundert Stück aufge-
gessen und zwanzig Bouteillen Champagner dabei ausge-
trunken.

MAJORIN. Rheinwein wollten Sie sagen.

GRAF. Champagner – Es war eine Idee, und ist uns beiden recht
15 gut bekommen. Denselben Abend war Ball in Königsberg,
mein Bruder hat bis an den andern Mittag getanzt und ich
Geld verloren.

MAJORIN. Wollen wir ein Piquet machen?

GRAF. Wenn Fräulein Gustchen käme, macht' ich ein Paar Tou-
20 ren im Garten mit ihr. Ihnen, gnädige Frau, darf ich's nicht
zumuten; mit Ihrer Fontenelle am Fuß.

MAJORIN. Ich weiß auch nicht, wo der Major immer steckt. Er
ist in seinem Leben so rasend nicht auf die Okonomie gewesen; den ganzen ausgeschlagenen Tag auf dem Felde und
25 wenn er nach Hause kommt, sitzt er stumm wie ein Stock.
Glauben Sie, daß ich anfange mir Gedanken drüber zu machen.

GRAF. Er scheint melancholisch.

MAJORIN. Weiß es der Himmel – Neulich hatt' er wieder einmal
30 den Einfall bei mir zu schlafen, und da ist er mitten in der
Nacht aus dem Bett aufgesprungen und hat sich – He he, ich
sollt's Ihnen nicht erzählen, aber Sie kennen ja die lächerliche
Seite von meinem Mann schon.

GRAF. Und hat sich . . .

35 MAJORIN. Auf die Knie niedergeworfen und an die Brust
geschlagen und geschluchzt und geheult, daß mir zu grauen
anfing. Ich hab' ihn aber nicht fragen mögen, was gehen mich
seine Narrheiten an? Mag er Pietist oder Quacker werden.
Meinethalben! Er wird dadurch weder häßlicher noch lie-

benswürdiger in meinen Augen werden, als er ist. *(Sieht den*
Grafen schalkhaft an.)

GRAF *(faßt sie ans Kinn).* Boshafte Frau! – Aber wo ist Gustchen? Ich möchte gar zu gern mit ihr spazieren gehn.

MAJORIN. Still da kommt ja der Major . . . Sie können mit ihm   5
gehen, Graf.

GRAF. Denk doch – Ich will nun aber mit Ihrer Tochter gehn.

MAJORIN. Sie wird noch nicht angezogen sein: es ist was Unaus-
stehliches, wie faul das Mädchen ist –

(Major von Berg kommt im Nachtwämschen, einen Strohhut   10
auf.)

MAJORIN. Nun wie steht's, Mann? Wo treiben Sie sich denn
wieder herum? Man kriegt Sie ja den ganzen Tag nicht zu
sehen. Sehn Sie ihn nur an Herr Graf; sieht er doch wie der
Heautontimorumenos in meiner großen Madame Dacier   15
abgemalt – Ich glaube, du hast gepflügt, Herr Major? Wir
sind itzt in den Hundstagen.

GRAF. In der Tat, Herr Major, Sie haben noch nie so übel ausge-
sehen, blaß, hager, Sie müssen etwas haben, das Ihnen auf
dem Gemüt liegt, was bedeuten die Tränen in Ihren Augen,   20
sobald man Sie aufmerksam ansieht? Ich kenne Sie doch zehn
Jahr schon und habe Sie nie so gesehen, selbst da nicht, als Ihr
Bruder starb.

MAJORIN. Geiz, nichts als der leidige Geiz, er meint, wir werden
verhungern, wenn er nicht täglich wie ein Maulwurf auf dem   25
Felde wühlt. Bald gräbt er, bald pflügt er, bald eggt er. Du
willst doch nicht Bauer werden? Du mußt mir vorher einen
andern Mann geben, der die Aufsicht über dich führt.

MAJOR. Ich muß wohl schaffen und scharren, meiner Tochter
einen Platz im Hospital auszumachen.   30

MAJORIN. Was sind das nun wieder für Phantasien! – Ich muß
wahrhaftig den Doktor Würz noch aus Königsberg holen
lassen.

MAJOR. Du siehst nimmer nichts, vornehme Frau! daß dein Kind
von Tag zu Tag abfällt, daß sie Schönheit, Gesundheit und   35
den ganzen Plunder verliert und dahergeht, als ob sie, hol'
mich der Teufel – Gott verzeih' mir meine schwere Sünde, –
als ob der arme Lazarus sie gemacht hätte – Es frißt mir die
Leber ab –

MAJORIN. Hören Sie ihn nur! Wie er mich anfährt! Bin ich schuld   40
daran? Bist du denn wahnwitzig?

MAJOR. Ja freilich bist du schuld daran, oder was ist sonst schuld
daran? Ich kann's, zerschlag' mich der Donner! nicht begreifen. Ich dacht' immer, ihr eine der ersten Partien im Reich
auszumachen; denn sie hat auf der ganzen Welt an Schönheit
5 nicht ihresgleichen gehabt und nun sieht sie aus wie eine
Kühmagd – Ja freilich bist du schuld daran mit deiner Strenge
und deinen Grausamkeiten und deinem Neid, das hat sie sich
zu Gemüt gezogen und das ist ihr nun zum Gesicht herausge-
schlagen, aber das ist deine Freude, gnadige Frau, denn du
10 bist lang schalu über sie gewesen. Das kannst du doch nicht
leugnen? Sollt'st dich in dein Herz schämen, wahrhaftig!
(Geht ab.)
MAJORIN. Aber . . . aber was sagen Sie dazu, Herr Graf! Haben
Sie in Ihrem Leben eine ärgere Kollektion von Sottisen ge-
15 sehen?
GRAF. Kommen Sie; wir wollen Piquet spielen, bis Fräulein
Gustchen angezogen ist . . .

Siebente Szene

In Halle.

20 *Fritz von Berg im Gefängnis. Bollwerk, von Seiffenblase und
sein Hofmeister stehn um ihn.*

BOLLWERK. Wenn ich doch den Jungen hier hätte, das Fell zög'
ich ihm über die Ohren. Es ist mit alledem doch infam gehandelt, einen ehrlichen Jungen, wie Berg, ins Karzer zu brin-
25 gen; da sich keiner sein hat annehmen wollen. Denn das ist ja
wahr, kein einziger Landsmann hat den Fuß vor die Tür seinethalben gesetzt. Wenn Berg nicht gut für ihn gesagt hätte,
wär' er im Gefängnis verfault. Und in vierzehn Tagen soll das
Geld hier sein und wo er den Berg in Verlegenheit läßt, soll
30 man ihn für einen ausgemachten Schurken halten. O du ver-
dammter Pä Pä Pä Pä Pätus! Wart du verhenkerter Pätus,
wart einmal! –
HOFMEISTER. Ich kann Ihnen nicht genug beschreiben, lieber
Herr von Berg, wie leid es mir besonders um Ihres Herrn
35 Vaters und der Familie willen tut, Sie in einem solchen Zu-
stande zu sehen und noch dazu ohne Ihre Schuld, aus bloßer
jugendlicher Unbesonnenheit. Es hat schon einer von den

sieben Weisen Griechenlandes gesagt, für Bürgschaften sollst
du dich in acht nehmen und in der Tat es ist nichts unver-
schämter, als daß ein junger Durchbringer, der sich durch
seine lüderliche Wirtschaft ins Elend gestürzt hat, auch andere mit hineinziehen will, denn vermutlich hat er das   5
gleich anfangs im Sinne gehabt, als er auf der Akademie
Ihre Freundschaft suchte.

HERR VON SEIFFENBLASE. Ja ja, lieber Bruder Berg! nimm mir
nicht übel, da hast du einen großen Bock gemacht. Du bist
selbst schuld daran; dem Kerl hättst du's doch gleich anse-   10
hen können, daß er dich betrügen würde. Er ist bei mir auch
gewesen und hat mich angesprochen: er wär' aufs äußerste
getrieben, seine Kreditores wollten ihn wegstecken lassen,
wo ihn nicht Sonn noch Mond beschiene. Laß sie dich, dacht'
ich, es schad't dir nichts. Das ist dafür, daß du uns sonst kaum 15
über die Achsel ansahst, aber wenn ihr in Not seid, da sind die
Adelichen zu Kaventen gut genug. Er erzählte mir Langes
und Breites; er hätte seine Pistolen schon geladen, im Fall die
Kreditores ihn angriffen – Und nun läßt der lüderliche Hund
dich an seiner Stelle prostituieren. Das ist wahr, wenn mir das 20
geschehen wäre: ich könnte so ruhig nicht dabei sein: zwischen vier Mauren der Herr von Berg und das um eines lüderlichen Studenten willen.

FRITZ. Er war mein Schulkamerad – – Laßt ihn zufrieden. Wenn
ich mich nicht über ihn beklage, was geht's Euch an? Ich   25
kenn' ihn länger als Ihr; ich weiß, daß er mich nicht mit seinem guten Willen hier sitzen läßt.

HOFMEISTER. Aber, Herr von Berg wir müssen in der Welt mit
Vernunft handeln. Sein Schade ist es gewiß nicht, daß Sie hier
für ihn sitzen und seinethalben können Sie noch ein Säkulum 30
so sitzen bleiben –

FRITZ. Ich hab' ihn von Jugend auf gekannt: wir haben uns noch
niemals was abgeschlagen. Er hat mich wie seinen Bruder
geliebt, ich ihn wie meinen. Als er nach Halle reiste, weint' er
zum erstenmal in seinem Leben, weil er nicht mit mir reisen 35
konnte. Ein ganzes Jahr früher hätt' er schon auf die Akademie gehn können, aber um mit mir zusammen zu reisen,
stellt' er sich gegen die Präzeptores dummer als er war, und
doch wollt' es das Schicksal und unsre Väter so, daß wir nicht
zusammen reisten und das war sein Unglück. Er hat nie ge-   40
wußt mit Geld umzugehen und gab jedem was er verlangte.

Hätt' ihm ein Bettler das letzte Hemd vom Leibe gezogen und
dabei gesagt: mit Ihrer Erlaubnis, lieber Herr Pätus, er hätt's
ihm gelassen. Seine Kreditores gingen mit ihm um wie Straßenräuber und sein Vater verdiente nie, einen verlornen
5   Sohn zu haben, der bei all seinem Elend ein so gutes Herz
nach Hause brachte.

HOFMEISTER. O verzeihn Sie mir, Sie sind jung und sehen alles
noch aus dem vorteilhaftesten Gesichtspunkt an: man muß
erst eine Weile unter den Menschen gelebt haben um Charak-
10   tere beurteilen zu können. Der Herr Pätus, oder wie er da
heißt, hat sich Ihnen bisher immer nur unter der Maske gezeigt; jetzt kommt sein wahres Gesicht erst ans Tageslicht: er
muß einer der feinsten und abgefeimtesten Betrüger gewesen
sein, denn die treuherzigen Spitzbuben . . .

15 PÄTUS *(in Reisekleidern, fällt Berg um den Hals).* Bruder
Berg – –

FRITZ. Bruder Pätus – –

PÄTUS. Nein – laß – zu deinen Füßen muß ich liegen – dich hier –
um meinetwillen. *(Rauft sich das Haar mit beiden Händen*
20   *und stampft mit den Füßen.)* O Schicksal! Schicksal!
Schicksal!

FRITZ. Nun wie ist's? Hast du Geld mitgebracht? Ist dein Vater
versöhnt? Was bedeutet dein Zurückkommen?

PÄTUS. Nichts, nichts – Er hat mich nicht vor sich gelassen –
25   Hundert Meilen umsonst gereist! – Ihr Diener, Ihr Herren.
Bollwerk wein' nicht, du erniedrigst mich zu tief, wenn du gut
für mich denkst – O Himmel, Himmel!

FRITZ. So bist du der ärgste Narr, der auf dem Erdboden wan-
delt. Warum kommst du zurück? Bist du wahnwitzig? Haben
30   alle deine Sinne dich verlassen? Willst du, daß die Kreditores
dich gewahr werden – Fort! Bollwerk, führ ihn fort; sieh daß
du ihn sicher aus der Stadt bringst – Ich höre den Pedell –
Pätus, ewig mein Feind, wo du nicht im Augenblick –
(Pätus wirft sich ihm zu Füßen.)
35   Ich möchte rasend werden. –

BOLLWERK. So sei doch nun kein Narr, da Berg so großmütig ist
und für dich sitzen bleiben will; sein Vater wird ihn schon
auslösen: aber wenn du einmal sitzest, so ist keine Hoffnung
mehr für dich; du mußt im Gefängnis verfaulen.

40 PÄTUS. Gebt mir einen Degen her . . .

FRITZ. Fort! –

BOLLWERK. Fort! –

PÄTUS. Ihr tut mir eine Barmherzigkeit, wenn ihr mir einen
Degen –

SEIFFENBLASE. Da haben Sie meinen . . .

BOLLWERK *(greift ihn in den Arm)*. Herr – Schurke! Lassen Sie – 5
Stecken Sie nicht ein! Sie sollen nicht umsonst gezogen haben. Erst will ich meinen Freund in Sicherheit und dann er-
warten Sie mich hier – Draußen, wohl zu verstehen; also vor
der Hand zur Tür hinaus! *(Wirft ihn zur Tür hinaus.)*

HOFMEISTER. Mein Herr Bollwerk –   10

BOLLWERK. Kein Wort, Sie – gehen Sie Ihrem Jungen nach und
lehren Sie ihn, kein schlechter Kerl sein – Sie können mich
haben wo und wie Sie wollen.
(Der Hofmeister geht ab.)

PÄTUS. Bollwerk! ich will dein Sekundant sein.   15

BOLLWERK. Narr auch! Du tust als – Willst du mir den Hand-
schuh vielleicht halten, wenn ich vorher eins übern Daumen
pisse? – Was braucht's da Sekundanten. Komm nur fort und
sekundiere dich zur Stadt hinaus, Hasenfuß.

PÄTUS. Aber ihrer sind zwei.   20

BOLLWERK. Ich wünschte, daß ihrer zehn wären und keine Seif-
fenblasen drunter – So komm doch, und mach dich nicht
selbst unglücklich, närrischer Kerl.

PÄTUS. Berg! –
(Bollwerk reißt ihn mit sich fort.)   25

Dritter Akt

Erste Szene

In Heldelbrunn.

Der Major im Nachtwämschen. Der Geheime Rat.

5 MAJOR. Bruder, ich bin der alte nicht mehr. Mein Herz sieht
zehnmal toller aus als mein Gesicht – Es ist sehr gut, daß
du mich besuchst; wer weiß, ob wir uns so lang mehr
sehen.

GEH. RAT. Du bist immer ausschweifend, in allen Stücken – Dir
10 ein Nichts so zu Herzen gehen zu lassen! – Wenn deiner Tochter die Schönheit abgeht, so bleibt sie doch immer noch das
gute Mädchen, das sie war; so kann sie hundert andre liebens-
würdige Eigenschaften besitzen.

MAJOR. Ihre Schönheit – Hol' mich der Teufel, es ist nicht das
15 allein, was ihr abgeht; ich weiß nicht, ich werde noch den
Verstand verlieren, wenn ich das Mädchen lang unter Augen
behalte. Ihre Gesundheit ist hin, ihre Munterkeit, ihre Lieb-
lichkeit, weiß der Teufel, wie man das Dings all nennen soll;
aber obschon ich's nicht nennen kann, so kann ich's doch
20 sehen, so kann ich's doch fühlen und begreifen, und du weißt,
daß ich aus dem Mädchen meinen Abgott gemacht habe. Und
daß ich sie so sehn muß unter meinen Händen hinsterben,
verwesen. – *(Weint.)* Bruder Geheimer Rat, du hast keine
Tochter; du weißt nicht, wie einem Vater zumut sein muß,
25 der eine Tochter hat. Ich hab' dreizehn Bataillen beigewohnt
und achtzehn Blessuren bekommen, und hab' den Tod vor
Augen gesehen und bin – O laß mich zufrieden; pack dich zu
meinem Haus hinaus; laß die ganze Welt sich fortpacken. Ich
will es anstecken und die Schaufel in die Hand nehmen und
30 Bauer werden.

GEH. RAT. Und Frau und Kinder –

MAJOR. Du beliebst zu scherzen: ich weiß von keiner Frau und
Kindern, ich bin Major Berg gottseligen Andenkens und will
den Pflug in die Hand nehmen und will Vater Berg werden,
35 und wer mir zu nahe kommt, dem geb' ich mit meiner Hack
über die Ohren.

GEH. RAT. So schwärmerisch-schwermütig hab' ich ihn doch nie
  gesehen.
  (Die Majorin stürzt herein.)
MAJORIN. Zu Hülfe Mann – Wir sind verloren – Unsere Familie!
  unsere Familie!   5
GEH. RAT. Gott behüt' Frau Schwester! Was stellen Sie an? Wol-
  len Sie Ihren Mann rasend machen?
MAJORIN. Er soll rasend werden – Unsere Familie – Infamie! – –
  O ich kann nicht mehr – *(Fällt auf einen Stuhl.)*
MAJOR *(geht auf sie zu)*. Willst du mit der Sprach' heraus? –   10
  Oder ich dreh' dir den Hals um.
MAJORIN. Deine Dochter – Der Hofmeister. – Lauf! *(Fällt in
  Ohnmacht.)*
MAJOR. Hat er sie zur Hure gemacht? *(Schüttelt sie.)* Was fällst
  du da hin; jetzt ist's nicht Zeit zum Hinfallen. Heraus mit,   15
  oder das Wetter soll dich zerschlagen. Zur Hure gemacht?
  Ist's das? – Nun so werd' denn die ganze Welt zur Hure und
  du Berg nimm die Mistgabel in die Hand – *(Will gehen.)*
GEH. RAT *(hält ihn zurück)*. Bruder, wenn du dein Leben lieb
  hast, so bleib hier – Ich will alles untersuchen – Deine Wut   20
  macht dich unmündig. *(Geht ab und schließt die Tür zu.)*
MAJOR *(arbeitet vergebens sie aufzumachen)*. Ich werd' dich
  beunmündig – *(zu seiner Frau)* Komm, komm, Hure, du
  auch! sieh zu. *(Reißt die Tür auf.)* Ich will ein Exempel statuieren – Gott hat mich bis hieher erhalten, damit ich an Weib   25
  und Kindern Exempel statuieren kann – Verbrannt, verbrannt, verbrannt! *(Schleppt seine Frau ohnmächtig vom
  Theater.)*

Zweite Szene

Eine Schule im Dorf. Es ist finstrer Abend.   30

Wenzeslaus. Läuffer.

WENZESLAUS *(sitzt an einem Tisch, die Brill' auf der Nase und
  lineiert)*. Wer da? Was gibt's?
LÄUFFER. Schutz! Schutz! werter Herr Schulmeister! Man steht
  mir nach dem Leben.   35
WENZESLAUS. Wer ist Er denn?
LÄUFFER. Ich bin Hofmeister im benachbarten Schloß. Der

Major Berg ist mit all seinen Bedienten hinter mir und wollen
mich erschießen.

WENZESLAUS. Behüte – Setz' Er sich hier nieder zu mir   Hier hat
Er meine Hand: Er soll sicher bei mir sein – Und nun erzähl'
5 Er mir, derweil ich diese Vorschrift hier schreibe.

LÄUFFER. Lassen Sie mich erst zu mir selber kommen.

WENZESLAUS. Gut, verschnauf' Er sich und hernach will ich
Ihm ein Glas Wein geben lassen und wollen eins zusammen
trinken. Unterdessen, sag' Er mich doch – Hofmeister –
10 *(Legt das Lineal weg, nimmt die Brille ab und sieht ihn eine*
Weile an.) Nun ja, nach dem Rock zu urteilen. – Nun nun,
ich glaub's Ihm, daß Er der Hofmeister ist. Er sieht ja so rot
und weiß drein. Nun sag' Er mir aber doch, mein lieber
Freund, *(setzt die Brille wieder auf)* wie ist Er denn zu dem
15 Unstern gekommen, daß Sein Herr Patron so entrüstet auf
Ihn ist? Ich kann mir's doch nimmermehr einbilden, daß ein
Mann, wie der Herr Major von Berg – Ich kenne ihn wohl;
ich habe genug von ihm reden hören; er soll freilich von einem hastigen Temperament sein; viel Cholera, viel Cholera
20 – Sehen Sie, da muß ich meinen Buben selber die Linien
ziehen, denn nichts lernen die Bursche so schwer als das
Gradeschreiben, das Gleichschreiben – Nicht zierlich geschrieben; nicht geschwind geschrieben; sag' ich immer,
aber nur grad geschrieben, denn das hat seinen Einfluß in
25 alles, auf die Sitten, auf die Wissenschaften, in alles, lieber
Herr Hofmeister. Ein Mensch, der nicht grad schreiben
kann, sag' ich immer, der kann auch nicht grad handeln –
Wo waren wir?

LÄUFFER. Dürft' ich mir ein Glas Wasser ausbitten?

30 WENZESLAUS. Wasser? – Sie sollen haben. Aber – ja wovon
red'ten wir? Vom Gradschreiben; nein vom Major – he he
he – Aber wissen Sie auch Herr – Wie ist Ihr Name?

LÄUFFER. Mein   Ich heiße – Mandel.

WENZESLAUS. Herr Mandel – Und darauf mußten Sie sich noch
35 besinnen? Nun ja, man hat bisweilen Abwesenheiten des
Geistes; besonders die jungen Herren weiß und rot – Sie
heißen unrecht Mandel; Sie sollten Mandelblüte heißen,
denn Sie sind ja weiß und rot wie Mandelblüte – Nun ja
freilich, der Hofmeisterstand ist einer von denen, unus ex his,
40 die alleweile mit Rosen und Lilien überstreut sind, und wo
einen die Dornen des Lebens nur gar selten stechen. Denn

was hat man zu tun? Man ißt, trinkt, schläft, hat für nichts zu
sorgen; sein gut Glas Wein gewiß, seinen Braten täglich, alle
Morgen seinen Kaffee, Tee, Schokolade, oder was man trinkt
und das geht denn immer so fort – Nun ja, ich wollt' Ihnen
sagen: wissen Sie auch, Herr Mandel, daß ein Glas Wasser   5
der Gesundheit ebenso schädlich auf eine heftige Gemüts-
bewegung als auf eine heftige Leibesbewegung; aber freilich,
was fragt ihr jungen Herren Hofmeister nach der Gesundheit – Denn sagt mir doch, *(legt Brille und Lineal weg und
steht auf)* wo in aller Welt kann das der Gesundheit gut tun,   10
wenn alle Nerven und Adern gespannt sind und das Blut ist in
der heftigsten Zirkulation und die Lebensgeister sind alle in
einer – Hitze, in einer –

LÄUFFER. Um Gottes willen der Graf Wermuth – *(Springt in eine
Kammer.)*   15

(Graf Wermuth mit ein paar Bedienten, die Pistolen tragen.)

GRAF. Ist hier ein gewisser Läuffer – Ein Student im blauen
Rock mit Tressen?

WENZESLAUS. Herr, in unserm Dorf ist's die Mode, daß man den
Hut abzieht, wenn man in die Stube tritt und mit dem Herrn   20
vom Hause spricht.

GRAF. Die Sache pressiert – Sagt mir, ist er hier oder nicht?

WENZESLAUS. Und was soll er denn verbrochen haben, daß Ihr
ihn so mit gewaffneter Hand sucht? *(Graf will in die Kammer,
er stellt sich vor die Tür.)* Halt Herr! Die Kammer ist mein,   25
und wo Ihr nicht augenblicklich Euch aus meinem Hause
packt, so zieh' ich nur an meiner Schelle und ein halb Dutzend handfester Bauerkerle schlägt Euch zu morsch Pulver-
Granatenstücken. Seid Ihr Straßenräuber, so muß man Euch
als Straßenräubern begegnen. Und damit Ihr Euch nicht ver-   30
irrt und den Weg zum Haus hinaus so gut find't als Ihr ihn
hinein gefunden habt – *(Faßt ihn an die Hand und führt ihn
zur Tür hinaus: die Bedienten folgen ihm.)*

LÄUFFER *(springt aus der Kammer hervor).* Glücklicher Mann!
Beneidenswerter Mann!   35

WENZESLAUS *(in der obigen Attitude).* In – Die Lebensgeister
sagt' ich, sind in einer – Begeisterung, alle Passionen sind
gleichsam in einer Empörung, in einem Aufruhr – Nun wenn
Ihr da Wasser trinkt, so geht's, wie wenn man in eine mächti-
ge Flamme Wasser schüttet. Die starke Bewegung der Luft   40
und der Krieg zwischen den beiden entgegengesetzten Ele-

menten macht eine Efferveszenz, eine Gärung, eine Unruhe,
ein tumultuarisches Wesen. –

LÄUFFER. Ich bewundere Sie . . .

WENZESLAUS. Gottlieb! – Jetzt können Sie schon allgemach trin-
5 ken – Allgemach – und denn werden Sie auf den Abend mit
einem Salat und Knackwurst vorlieb nehmen – Was war das
für ein ungeschliffener Kerl, der nach Ihnen suchte?

LÄUFFER. Es ist der Graf Wermuth, der künftige Schwiegersohn
des Majors; er ist eifersüchtig auf mich, weil das Fräulein ihn
10 nicht leiden kann –

WENZESLAUS. Aber was soll denn das auch? Was will das Mädchen denn auch mit Ihm Monsieur Jungfernknecht? Sich ihr
Glück zu verderben, um eines solchen jungen Siegfrieds willen, der nirgends Haus oder Herd hat? Das lass' Er sich aus
15 dem Kopf und folg' Er mir nach in die Küche. Ich seh', mein
Bube ist fortgangen, mir Bratwürste zu holen. Ich will ihm
selber Wasser schöpfen, denn Magd hab' ich nicht und an
eine Frau hab' ich mich noch nicht unterstanden zu denken,
weil ich weiß, daß ich keine ernähren kann – geschweige denn
20 eine drauf angesehen, wie Ihr junge Herren Weiß und Rot –
Aber man sagt wohl mit Recht, die Welt verändert sich.

Dritte Szene

In Heidelbrunn.

Der Geheime Rat. Herr von Seiffenblase und sein Hofmeister.

25 HOFMEISTER. Wir haben uns in Halle nur ein Jahr aufgehalten
und als wir von Göttingen kamen, nahmen wir unsere Rück-
reise über alle berühmte Universitäten in Deutschland. Wir
konnten also in Halle das zweitemal nicht lange verweilen;
zudem saß Ihr Herr Sohn grade zu der Zeit in dem unglückli-
30 chen Arrest, wo ich ihn nur einigemal zu sprechen die Ehre
haben konnte: also könnt' ich Ihnen aufrichtig von der Füh-
rung Dero Herrn Sohns draußen keine umständliche Nachricht geben.

GEH. RAT. Der Himmel verhängt Strafen über unsre ganze Fami-
35 lie. Mein Bruder – Ich will's Ihnen nur nicht verhehlen, denn
leider ist Stadt und Land voll davon – hat das Unglück gehabt,
daß seine Tochter ihm verschwunden ist, ohne daß eine Spur

von ihr anzutreffen – Ich höre itzt von meinem Sohn – Wenn
er sich gut geführt hätte, wie wär's möglich gewesen, ihn ins
Gefängnis zu bringen? Ich hab' ihm außer seinem starken
Wechsel noch alle halbe Jahr außerordentliche geschickt; auf
allen Fall –   5

HOFMEISTER. Die bösen Gesellschaften; die erstaunenden Ver-
führungen auf Akademien.

SEIFFENBLASE. Das Seltsamste dabei ist, daß er für einen andern
sitzt; ein Ausbund aller Lüderlichkeit, ein Mensch, für den
ich keinen Groschen ausgäbe und er auf meinem Misthaufen   10
Hungers krepierte. Er ist hiergewesen, Sie werden von ihm
gehört haben; er suchte Geld bei seinem Vater, unter dem
Vorwand, Ihren Herrn Sohn auszulösen; vermutlich wär' er
damit auf eine andere Akademie gegangen und hätte von
frischem angefangen zu wirtschaften. Ich weiß schon, wie's   15
die lüderlichen Studenten machen, aber sein Vater hat den
Braten gerochen und hat ihn nicht vor sich kommen lassen.

GEH. RAT. Doch wohl nicht der junge Pätus, des Ratsherrn
Sohn?

SEIFFENBLASE. Ich glaub', es ist derselbe.   20

GEH. RAT. Jedermann hat dem Vater die Härte verdacht.

HOFMEISTER. Ja was ist da zu verdenken, mein gnädiger Herr
Geheimer Rat; wenn ein Sohn die Güte des Vaters zu sehr
mißbraucht, so muß sich das Vaterherz wohl ab von ihm wenden. Der Hohepriester Eli war nicht hart und brach den Hals.   25

GEH. RAT. Gegen die Ausschweifungen seiner Kinder kann man
nie zu hart sein, aber wohl gegen ihr Elend. Der junge
Mensch soll hier haben betteln müssen. Und mein Sohn sitzt
um seinetwillen.

SEIFFENBLASE. Was anders? Er war sein vertrautester Freund   30
und fand niemand würdiger, mit ihm die Komödie von *Da-
mon* und *Pythias* zu spielen. Noch mehr, Herr Pätus kam
zurück und wollte seinen Platz wieder einnehmen, aber Ihr
Sohn bestund drauf, er wollte sitzen bleiben: Sie würden ihn
schon auslösen, und Pätus mit einem andern Erzrenommi-   35
sten und Spieler wollten die Flucht nehmen und sich zu helfen
suchen, so gut sie könnten. Vielleicht überfallen sie wieder so
irgend einen armen Studenten mit Masken vor den Gesich-
tern auf der Stube und nehmen ihm die Uhr und Goldbörse,
mit der Pistol auf der Brust, weg, wie sie's in Halle schon   40
einem gemacht haben.

GEH. RAT. Und mein Sohn ist der dritte aus diesem Kleeblatt?

SEIFFENBLASE. Ich weiß nicht, Herr Geheimer Rat.

GEH. RAT. Kommen Sie zum Essen, meine Herren! Ich weiß
schon zu viel. Es ist ein Gericht Gottes über gewisse Fami-
5　lien; bei einigen sind gewisse Krankheiten erblich, bei andern
arten die Kinder aus, die Väter mögen tun was sie wollen.
Essen Sie: ich will fasten und beten, vielleicht hab' ich diesen
Abend durch die Ausschweifungen meiner Jugend verdient.

Vierte Szene

10　　　　　　　　　*Die Schule.*

Wenzeslaus und Läuffer an einem ungedeckten Tisch speisend.

WENZESLAUS. Schmeckt's? Nicht wahr, es ist ein Abstand von
meinem Tisch und des Majors? Aber wenn der Schulmeister
Wenzeslaus seine Wurst ißt, so hilft ihm das gute Gewissen
15　verdauen, und wenn der Herr Mandel Kapaunenbraten mit
der Champignonsauce aß, so stieß ihm sein Gewissen jeden
Bissen, den er hinabschluckte, mit der Moral wieder in Hals
zurück: du bist ein – Denn sagt mir einmal, lieber Herr Mandel; nehmt mir nicht übel, daß ich Euch die Wahrheit sage;
20　das würzt das Gespräch wie Pfeffer den Gurkensalat; sagt mir
einmal, ist das nicht hundsföttisch, wenn ich davon überzeugt
bin, daß ich ein Ignorant bin, und meine Untergebenen nichts
lehren kann, und also müßig bei ihnen gehe und sie müßig
gehen lasse, und dem lieben Gott ihren Tag stehlen und doch
25　hundert Dukaten – War's nicht so viel? Gott verzeih mir, ich
hab' in meinem Leben nicht so viel Geld auf einem Haufen
beisammen gesehen! Hundertfunfzig Dukaten, sag' ich, in
Sack stecke, für nichts und wieder nichts!

LÄUFFER. O! und Sie haben noch nicht alles gesagt, Sie kennen
30　Ihren Vorzug nicht ganz, oder fühlen ihn, ohn' ihn zu kennen.
Haben Sie nie einen Sklaven im betreßten Rock gesehen? O
Freiheit, güldene Freiheit!

WENZESLAUS. Ei was Freiheit! Ich bin auch so frei nicht; ich bin
an meine Schule gebunden, und muß Gott und meinem Ge-
35　wissen Rechenschaft von geben.

LÄUFFER. Eben das – Aber wie, wenn Sie den Grillen eines
wunderlichen Kopfs davon Rechenschaft ablegen müßten,

der mit Ihnen umginge hundertmal ärger als Sie mit Ihren
Schulknaben?

WENZESLAUS. Ja nun – dann müßt' er aber auch an Verstand so
weit über mich erhaben sein, wie ich über meine Schulknaben, und das trifft man selten, glaub' ich wohl; besonders bei   5
unsern Edelleuten; da mögt Ihr wohl recht haben: wenigstens
der Flegel da, der mir vorhin in meine Kammer wollte, ohne
mich vorher um Erlaubnis zu bitten. Wenn ich zum Herrn
Grafen käme und wollt' ihm, mir nichts, dir nichts, die Zimmer visitieren – Aber potz Millius, so eßt doch; Ihr macht ja   10
ein Gesicht, als ob Ihr zu laxieren einnähmt. Nicht wahr, Ihr
hättet gern ein Glas Wein dazu? Ich hab' Euch zwar vorhin
eins versprochen, aber ich habe keinen im Hause. Morgen
werd' ich wieder bekommen, und da trinken wir sonntags und
donnerstags, und wenn der Organist Franz zu uns kommt,   15
extra. Wasser, Wasser, mein Freund, ἄριστον μὲν το ὕδωρ,
das hab' ich noch von der Schule mitgebracht, und da eine
Pfeife dazu geraucht nach dem Essen im Mondenschein und
einen Gang ums Feld gemacht; da läßt sich drauf schlafen,
vergnügter als der große Mogul – Ihr raucht doch eins mit   20
heut?

LÄUFFER. Ich will's versuchen; ich hab' in meinem Leben nicht
geraucht.

WENZESLAUS. Ja freilich, Ihr Herren Weiß und Rot, das verderbt Euch die Zähne. Nicht wahr? und verderbt Euch die   25
Farbe; nicht wahr? Ich habe geraucht, als ich kaum von meiner Mutter Brust entwöhnt war; die Warze mit dem Pfeifen-
mundstück verwechselt. He he he! Das ist gut wider die böse
Luft und wider die bösen Begierden ebenfalls. Das ist so
meine Diät: des Morgens kalt Wasser und eine Pfeife, dann   30
Schul gehalten bis eilfe, dann wieder eine Pfeife bis die Suppe
fertig ist: die kocht mir mein Gottlieb so gut als eure französische Köche, und da ein Stück Gebratenes und Zugemüse und
dann wieder eine Pfeife, dann wieder Schul gehalten, dann
Vorschriften geschrieben bis zum Abendessen; da ess' ich   35
denn gemeiniglich kalt etwas, eine Wurst mit Salat, ein Stück
Käs oder was der liebe Gott gegeben hat und dann wieder
eine Pfeife vor Schlafengehen.

LÄUFFER. Gott behüte, ich bin in eine Tabagie gekommen –

WENZESLAUS. Und da werd' ich dick und fett bei und lebe ver-   40
gnügt und denke noch ans Sterben nicht.

LÄUFFER. Es ist aber doch unverantwortlich, daß die Obrigkeit
nicht dafür sorgt, Ihnen das Leben angenehmer zu machen.

WENZESLAUS. Ei was, es ist nun einmal so; und damit muß man
zufrieden sein: bin ich doch auch mein eigner Herr und hat
5 kein Mensch mich zu schikanieren, da ich alle Tage weiß, daß
ich mehr tu' als ich soll. Ich soll meinen Buben lesen und
schreiben lehren; ich lehre sie rechnen dazu und lateinisch
dazu und mit Vernunft lesen dazu und gute Sachen schreiben
dazu.

10 LÄUFFER. Und was für Lohn haben Sie dafür?

WENZESLAUS. Was für Lohn? – Will Er denn das kleine Stückchen Wurst da nicht aufessen? Er kriegt nichts Bessers; wart'
Er auf nichts Bessers, oder Er muß das erstemal Seines Lebens hungrig zu Bette gehn – Was für Lohn? Das war dumm
15 gefragt, Herr Mandel. Verzeih' Er mir; was für Lohn? Gottes
Lohn hab' ich dafür, ein gutes Gewissen und wenn ich da
vielen Lohn von der Obrigkeit begehren wollte, so hätt' ich ja
meinen Lohn dahin. Will Er denn den Gurkensalat durchaus
verderben lassen? So ess' Er doch, so sei Er doch nicht blöde:
20 bei einer schmalen Mahlzeit muß man zum Kuckuck nicht
blöde sein. Wart' Er, ich will Ihm noch ein Stück Brot ab-
schneiden.

LÄUFFER. Ich bin satt überhörig.

WENZESLAUS. Nun so lass' Er's stehen; aber es ist Seine eigne
25 Schuld wenn's nicht wahr ist. Und wenn es wahr ist, so hat Er
unrecht, daß Er sich überhörig satt ißt, denn das macht böse
Begierden und schläfert den Geist ein. Ihr Herren Weiß und
Rot mögt's glauben oder nicht. Man sagt zwar auch vom
Toback, daß er ein narkotisches, schläfrigmachendes, dumm-
30 machendes Öl habe und ich hab's bisweilen auch wohl so
wahrgefunden und bin versucht worden, Pfeife und allen
Henker ins Kamin zu werfen, aber unsere Nebel hier herum
beständig und die feuchte Winter- und Herbstluft alleweile
und denn die vortreffliche Wirkung, die ich davon verspüre,
35 daß es zugleich die bösen Begierden mit einschläfert – Holla,
wo seid Ihr denn, lieber Mann? Eben da ich vom Einschläfern
rede, nickt Ihr schon; so geht's, wenn der Kopf leer ist und
faul dabei und niemals ist angestrengt worden. Allons! frisch,
eine Pfeife mit mir geraucht! *(Stopft sich und ihm.)* Laßt uns
40 noch eins miteinander plaudern. *(Raucht.)* Ich hab' Euch
schon vorhin in der Küche sagen wollen: ich sehe, daß Ihr

schwach in der Latinität seid, aber da Ihr doch eine gute Hand
schreibt, wie Ihr sagt, so könntet Ihr mir doch so abends an
die Hand gehen, weil ich meiner Augen muß anfangen zu
schonen, und meinen Buben die Vorschriften schreiben. Ich
will Euch dabei »Corderii Colloquia« geben und »Gürtleri   5
Lexicon«, wenn Ihr fleißig sein wollt. Ihr habt ja den ganzen
Tag für Euch, so könnt Ihr Euch in der lateinischen Sprache
was umtun, und wer weiß wenn es Gott gefällt mich heute
oder morgen von der Welt zu nehmen – Aber Ihr müßt fleißig
sein, das sag' ich Euch, denn so seid Ihr ja noch kaum zum   10
Kollaborator tüchtig, geschweige denn – *(Trinkt.)*
LÄUFFER *(legt die Pfeife weg).* Welche Demütigung!
WENZESLAUS. Aber . . . aber . . . aber *(reißt ihm den Zahnsto-*
cher aus dem Munde) was ist denn das da? Habt Ihr denn noch
nicht einmal so viel gelernt, großer Mensch, daß Ihr für Eu- 15
ren eignen Körper Sorge tragen könnt. Das Zähnestochern
ist ein Selbstmord; ja ein Selbstmord, eine mutwillige Zerstö-
rung Jerusalems, die man mit seinen Zähnen vornimmt. Da,
wenn Euch was im Zahn sitzen bleibt: *(Nimmt Wasser und*
schwenkt den Mund aus.) So müßt Ihr's machen, wenn Ihr   20
gesunde Zähne behalten wollt, Gott und Eurem Nebenmen-
schen zu Ehren, und nicht einmal im Alter herumlaufen, wie
ein alter Kettenhund, dem die Zähne in der Jugend ausgebro-
chen worden, und der die Kinnbacken nicht zusammenhalten
kann. Das wird einen schönen Schulmeister abgeben, will's   25
Gott, wenn ihm aufs Alter die Worte ungeboren zum Munde
herausfallen und er zwischen Nase und Oberlippen da was
herausschnarcht, das kein Hund oder Hahn versteht.
LÄUFFER. Der wird mich noch zu Tode meistern – Das Unerträg-
lichste ist, daß er recht hat –   30
WENZESLAUS. Nun wie geht's? Schmeckt Euch der Toback
nicht? Ich wette, nur ein paar Tage noch mit dem alten Wenzeslaus zusammen, so werd't Ihr rauchen wie ein Boots-
knecht. Ich will Euch nach meiner Hand ziehen, daß Ihr Euch
selber nicht mehr wiederkennen sollt.   35

Vierter Akt

Erste Szene

Zu Insterburg.

Geheimer Rat. Major.

5 MAJOR. Hier Bruder – Ich schweife wie Kain herum, unstet und
flüchtig – Weißt du was? Die Russen sollen Krieg mit den
Türken haben; ich will nach Königsberg gehn, um nähere
Nachrichten einzuziehen: ich will mein Weib verlassen und in
der Türkei sterben.

10 GEH. RAT. Deine Ausschweifungen schlagen mich vollends zu
Boden. – O Himmel, muß es denn von allen Seiten stür-
men? – Da lies den Brief vom Professor M–r.

MAJOR. Ich kann nicht mehr lesen; ich hab' meine Augen fast
blind geweint.

15 GEH. RAT. So will ich dir vorlesen, damit du siehst, daß du nicht
der einzige Vater seist, der sich zu beklagen hat: »Ihr Sohn ist
vor einiger Zeit wegen Bürgschaft gefänglich eingezogen
worden: er hat, wie er mir vorgestern mit Tränen gestanden,
nach fünf vergeblich geschriebenen Briefen keine Hoffnung
20 mehr, von Eurer Exzellenz Verzeihung zu erhalten. Ich re-
d'te ihm zu, sich zu beruhigen, bis ich gleichfalls in dieser
Sache mich vermittelt hätte: er versprach es mir, ist aber
ungeachtet dieses Versprechens noch in derselben Nacht
heimlich aus dem Gefängnis entwischt. Die Schuldner haben
25 ihm Steckbriefe nachsenden und seinen Namen in allen Zei-
tungen bekannt machen wollen; ich habe sie aber dran ver-
hindert und für die Summe gutgesagt, weil ich viel zu sehr
überzeugt bin, daß Eure Exzellenz diesen Schimpf nicht werden auf Dero Familie kommen lassen. Übrigens habe die
30 Ehre, in Erwartung Dero Entschlusses mich mit vollkom-
menster . . .

MAJOR. Schreib ihm zurück: sie sollen ihn hängen.

GEH. RAT. Und die Familie –

MAJOR. Lächerlich! Es gibt keine Familie; wir haben keine
35 Familie. Narrenspossen! Die Russen sind meine Familie: ich
will griechisch werden.

GEH. RAT. Und noch keine Spur von deiner Tochter?

MAJOR. Was sagst du?

GEH. RAT. Hast nicht die geringste Nachricht von deiner
Tochter?

MAJOR. Laß mich zufrieden.   5

GEH. RAT. Es ist doch dein Ernst nicht, nach Königsberg zu
reisen?

MAJOR. Wenn mag doch die Post abgehn von Königsberg nach
Warschau?

GEH. RAT. Ich werde dich nicht fortlassen; es ist nur umsonst.   10
Meinst du, vernünftige Leute werden sich von deinen Phantasien übertölpeln lassen? Ich kündige dir hiermit Hausarrest
an. Gegen Leute, wie du bist, muß man Ernst gebrauchen,
sonst verwandelt sich ihr Gram in Narrheit.

MAJOR *(weint)*. Ein ganzes Jahr – Bruder Geheimer Rat – Ein   15
ganzes Jahr – und niemand weiß, wohin sie gestoben oder
geflogen ist?

GEH. RAT. Vielleicht tot –

MAJOR. Vielleicht? – Gewiß tot – und wenn ich nur den Trost
haben könnte, sie noch zu begraben – aber sie muß sich selbst   20
umgebracht haben, weil mir niemand Anzeige von ihr geben
kann. – Eine Kugel durch den Kopf, Berg, oder einen Tür-
kenpallasch; das wär' eine Victorie.

GEH. RAT. Es ist ja ebenso wohl möglich, daß sie den Läuffer
irgendwo angetroffen und mit dem aus dem Lande gegangen.   25
Gestern hat mich Graf Wermuth besucht und hat mir gesagt,
er sei denselben Abend noch in eine Schule gekommen, wo
ihn der Schulmeister nicht hab' in die Kammer lassen wollen:
er vermutet immer noch, der Hofmeister habe drin gesteckt,
vielleicht deine Tochter bei ihm.   30

MAJOR. Wo ist der Schulmeister? Wo ist das Dorf? Und der
Schurke von Grafen ist nicht mit Gewalt in die Kammer ein-
gedrungen? Komm: wo ist der Graf?

GEH. RAT. Er wird wohl wieder im »Hecht« abgestiegen sein, wie
gewöhnlich.   35

MAJOR. O wenn ich sie auffände – Wenn ich nur hoffen könnte,
sie noch einmal wieder zu sehen – Hol' mich der Kuckuck, so
alt wie ich bin und abgegrämt und wahnwitzig; ja hol' mich
der Teufel, dann wollt' ich doch noch in meinem Leben wieder
einmal lachen, das letztemal laut lachen und meinen Kopf in   40
ihren entehrten Schoß legen und denn wieder einmal heulen

und denn – Adieu Berg! Das wäre mir gestorben, das hieß'
mir sanft und selig im Herrn entschlafen. – Komm Bruder,
dein Junge ist nur ein Spitzbube geworden: das ist nur Kleinigkeit; an allen Höfen gibt's Spitzbuben; aber meine Tochter ist eine Gassenhure, das heiß' ich einem Vater Freud
machen: vielleicht hat sie schon drei Lilien auf dem Rücken. –
Vivat die Hofmeister und daß der Teufel sie holt! Amen.
(Gehn ab.)

Zweite Szene

Eine Bettlerhütte im Walde.

Augustchen, im groben Kittel. Marthe, ein alt blindes Weib.

GUSTCHEN. Liebe Marthe, bleibt zu Hause und seht wohl nach
dem Kinde: es ist das erstemal, daß ich Euch allein lasse in
einem ganzen Jahr; also könnt Ihr mich nun wohl auch einmal
einen Gang für mich tun lassen. Ihr habt Proviant für heut und
morgen; Ihr braucht also heute nicht auf der Landstraß auszu-
stehn.

MARTHE. Aber wo wollt Ihr denn hin, Grethe; daß Gott
erbarm! da Ihr noch so krank und so schwach seid; laßt Euch
doch sagen: ich hab' auch Kinder bekommen und ohne viele
Schmerzen, so wie Ihr, Gott sei Dank! aber einmal hab' ich's
versucht, den zweiten Tag nach der Niederkunft auszugehen
und nimmermehr wieder; ich hatte schon meinen Geist aufgegeben, wahrlich ich könnt' Euch sagen, wie einem Toten
zumute ist – Laßt Euch doch lehren; wenn Ihr was im näch-
sten Dorf zu bestellen habt, obschon ich blind bin, ich will
schon hinfinden; bleibt nur zu Hause und macht daß Ihr zu
Kräften kommt: ich will alles für Euch ausrichten, was es
auch sei.

GUSTCHEN. Laßt mich nur, Mutter; ich hab' Kräfte wie eine
junge Bärin – und seht nach meinem Kinde.

MARTHE. Aber wie soll ich denn darnach sehen, Heilige Mutter
Gottes! da ich blind bin? Wenn es wird saugen wollen, soll
ich's an meine schwarze verwelkte Zitzen legen? und es mit-
zunehmen, habt Ihr keine Kräfte, bleibt zu Hause, liebes
Grethel, bleibt zu Hause.

GUSTCHEN. Ich darf nicht, liebe Mutter, mein Gewissen treibt

mich fort von hier. Ich hab' einen Vater, der mich mehr liebt
als sein Leben und seine Seele. Ich habe die vorige Nacht im
Traum gesehen, daß er sich die weißen Haare ausriß und Blut
in den Augen hatte: er wird meinen, ich sei tot. Ich muß ins
Dorf und jemand bitten, daß er ihm Nachricht von mir gibt.   5
MARTHE. Aber hilf lieber Gott, wer treibt Euch denn? Wenn Ihr
nun unterwegens liegen bleibt? Ihr könnt nicht fort . . .
GUSTCHEN. Ich muß – Mein Vater stand wankend; auf einmal
warf er sich auf die Erde und blieb tot liegen – Er bringt sich
um, wenn er keine Nachricht von mir bekommt.   10
MARTHE. Wißt Ihr denn nicht, daß Träume grade das Gegenteil
bedeuten?
GUSTCHEN. Bei mir nicht – Laßt mich – Gott wird mit mir sein.
(Geht ab.)

Dritte Szene   15

Die Schule.

*Wenzeslaus. Läuffer, an einem Tisch sitzend. Der Major. Der
Geheime Rat und Graf Wermuth treten herein mit Bedienten.*

WENZESLAUS *(läßt die Brille fallen).* Wer da?
MAJOR *(mit gezogenem Pistol).* Daß dich das Wetter! da sitzt der   20
Has im Kohl. *(Schießt und trifft Läuffern in Arm, der vom
Stuhl fällt.)*
GEH. RAT *(der vergeblich versucht hat ihn zurückzuhalten).* Bru-
der – *(Stößt ihn unwillig.)* So hab's denn darnach, Toll-
häusler!   25
MAJOR. Was? ist er tot? *(Schlägt sich vors Gesicht.)* Was hab ich
getan? Kann Er mir keine Nachricht mehr von meiner Toch-
ter geben?
WENZESLAUS. Ihr Herren! Ist das Jüngste Gericht nahe, oder
sonst etwas? Was ist das? *(Zieht an seiner Schelle.)* Ich will   30
Euch lehren, einen ehrlichen Mann in seinem Hause über-
fallen.
LÄUFFER. Ich beschwör' Euch: schellt nicht! – Es ist der Major;
ich hab's an seiner Tochter verdient.
GEH. RAT. Ist kein Chirurgus im Dorf, ehrlicher Schulmeister!   35
Er ist nur am Arm verwundet, ich will ihn kurieren lassen.
WENZESLAUS. Ei was kurieren lassen! Straßenräuber! schießt

man Leute übern Haufen, weil man so viel hat, daß man sie
kurieren lassen kann? Er ist mein Kollaborator; er ist eben
ein Jahr in meinem Hause: ein stiller, friedfertiger, fleißiger
Mensch, und sein Tage hat man nichts von ihm gehört, und
5 Ihr kommt und erschießt mir meinen Kollaborator in meinem
eignen Hause! – Das soll gerochen werden, oder ich will nicht
selig sterben. Seht Ihr das!

GEH. RAT *(bemüht Läuffern zu verbinden)*. Wozu das Ge-
schwätz, lieber Mann? Es tut uns leid genug Aber die
10 Wunde könnte sich verbluten, schafft uns nur einen Chirurgus.

WENZESLAUS. Ei was! Wenn Ihr Wunden macht, so mögt Ihr sie
auch heilen, Straßenräuber! Ich muß doch nur zum Gevatter
Schöpsen gehen. *(Geht ab.)*

15 MAJOR *(zu Läuffern)*. Wo ist meine Tochter?

LÄUFFER. Ich weiß es nicht.

MAJOR. Du weißt nicht? *(Zieht noch eine Pistol hervor.)*

GEH. RAT *(entreißt sie ihm und schießt sie aus dem Fenster ab)*.
Sollen wir dich mit Ketten binden lassen, du –

20 LÄUFFER. Ich habe sie nicht gesehen, seit ich aus Ihrem Hause
geflüchtet bin; das bezeug' ich vor Gott, vor dessen Gericht
ich vielleicht bald erscheinen werde.

MAJOR. Also ist sie nicht mit dir gelaufen?

LÄUFFER. Nein.

25 MAJOR. Nun denn; so wieder eine Ladung Pulver umsonst ver-
schossen! Ich wollt', sie wäre dir durch den Kopf gefahren, da
du kein gescheutes Wort zu reden weißt, Lumpenhund! Laßt
ihn liegen und kommt bis ans Ende der Welt. Ich muß meine
Tochter wiederhaben, und wenn nicht in diesem Leben, doch
30 in jener Welt, und da soll mein hochweiser Bruder und mein
hochweiseres Weib mich wahrhaftig nicht von abhalten.
(Läuft fort.)

GEH. RAT. Ich darf ihn nicht aus den Augen lassen. *(Wirft Läuffern einen Beutel zu.)* Lassen Sie sich davon kurieren, und
35 bedenken Sie, daß Sie meinen Bruder weit gefährlicher verwundet haben, als er Sie. Es ist ein Bankozettel drin, geben
Sie acht drauf und machen ihn sich zu Nutz so gut Sie können.
*(Gehn alle ab. – Wenzeslaus kömmt mit dem Barbier Schöp-
sen und einigen Bauerkerlen.)*

40 WENZESLAUS. Wo ist das Otterngezüchte? Redet!

LÄUFFER. Ich bitt' Euch, seid ruhig. Ich habe weit weniger

bekommen, als meine Taten wert waren. Meister Schöpsen,
ist meine Wunde gefährlich?
(Schöpsen besieht sie.)

WENZESLAUS. Was denn? Wo sind sie? Das leid' ich nicht; nein,
das leid' ich nicht und sollt' es mich Schul und Amt und Haar 5
und Bart kosten. Ich will sie zu Morsch schlagen, die Hunde –
Stellen Sie sich vor, Herr Gevatter; wo ist das in aller Welt *in
iure naturae*, und *in iure civili*, und im *iure canonico*, und
im *iure gentium*, und wo Sie wollen, wo ist das erhört, daß
man einem ehrlichen Mann in sein Haus fällt und in eine 10
Schule dazu; an heiliger Stätte – Gefährlich; nicht wahr?
Haben Sie sondiert? Ist's?

SCHÖPSEN. Es ließe sich viel drüber sagen – nun doch wir wollen
sehen – am Ende wollen wir schon sehen.

WENZESLAUS. Ja Herr, he he, in fine videbitur cuius toni; das 15
heißt, wenn er wird tot sein, oder wenn er völlig gesund sein
wird, da wollen Sie uns erst sagen, ob die Wunde gefährlich
war oder nicht: das ist aber nicht medizinisch gesprochen;
verzeih' Er mir. Ein tüchtiger Arzt muß das Dings vorher
wissen, sonst sag' ich ihm ins Gesicht: er hat seine Patho- 20
logie oder Chirurgie nur so halbwege studiert und ist mehr
in die Bordells gangen, als in die Collegia; denn in amore
omnia insunt vitia, und wenn ich einen Ignoranten sehe, er
mag sein aus was für einer Fakultät er wolle, so sag' ich
immer: er ist ein Jungfernknecht gewesen; ein Hurenhengst; 25
das lass' ich mir nicht ausreden.

SCHÖPSEN *(nachdem er die Wunde noch einmal besichtigt)*. Ja die
Wunde ist, nachdem man sie nimmt – Wir wollen sehen, wir
wollen sehen.

LÄUFFER. Hier, Herr Schulmeister! hat mir des Majors Bruder 30
einen Beutel gelassen, der ganz schwer von Dukaten ist und
obenein ist ein Bankozettel drin – Da sind wir auf viel Jahre
geholfen.

WENZESLAUS *(hebt den Beutel)*. Nun das ist etwas – Aber Hausgewalt bleibt doch Hausgewalt und Kirchenraub, Kirchen- 35
raub – Ich will ihm einen Brief schreiben, dem Herrn Major,
den er nicht ins Fenster stecken soll.

SCHÖPSEN *(der sich die Weil' über vergessen und eifrig nach dem
Beutel gesehen, fällt wieder über die Wunde her)*. Sie wird sich
endlich schon kurieren lassen, aber sehr schwer, hoff' ich, 40
sehr schwer –

WENZESLAUS. Das hoff' ich nicht, Herr Gevatter Schöpsen; das
fürcht' ich, das fürcht' ich – aber ich will Ihm nur zum voraus
sagen, daß wenn Er die Wunde langsam kuriert, so kriegt Er
auch langsame Bezahlung; wenn Er ihn aber in zwei Tagen
5   wieder auf frischen Fuß stellt, so soll Er auch frisch bezahlt
werden; darnach kann Er sich richten.
SCHÖPSEN. Wir wollen sehen.

Vierte Szene

GUSTCHEN *(liegend, an einem Teich mit Gesträuch umgeben)*.
10   Soll ich denn hier sterben? – Mein Vater! Mein Vater! gib mir
die Schuld nicht, daß du nicht Nachricht von mir bekömmst.
Ich hab' meine letzten Kräfte angewandt – sie sind erschöpft –
Sein Bild, o sein Bild steht mir immer vor den Augen! Er ist
tot, ja tot – und für Gram um mich – Sein Geist ist mir diese
15   Nacht erschienen, mir Nachricht davon zu geben – mich zur
Rechenschaft dafür zu fodern – Ich komme, ja ich komme.
(Rafft sich auf und wirft sich in Teich.)
*(Major von weitem. Geheimer Rat und Graf Wermuth folgen
ihm.)*
20   MAJOR. Hei! hoh! da ging's in Teich – Ein Weibsbild war's und
wenngleich nicht meine Tochter, doch auch ein unglücklich
Weibsbild – Nach, Berg! Das ist der Weg zu Gustchen oder
zur Hölle! *(Springt ihr nach.)*
GEH. RAT *(kommt)*. Gott im Himmel! was sollen wir anfangen?
25   GRAF WERMUTH. Ich kann nicht schwimmen.
GEH. RAT. Auf die andere Seite! – Mich deucht, er haschte das
Mädchen ... Dort – dort hinten im Gebüsch. – Sehen Sie
nicht? Nun treibt er den Teich mit ihr hinunter – Nach!

Fünfte Szene

30   *Eine andere Seite des Teichs. Hinter der Szene Geschrei:*

»Hülfe! 's meine Tochter! Sackerment und all das Wetter!
Graf! reicht mir doch die Stange: daß Euch die schwere Not.«
*(Major Berg trägt Gustchen aufs Theater. Geheimer Rat und
Graf folgen.)*
35   MAJOR. Da! – *(Setzt sie nieder. Geheimer Rat und Graf suchen sie*

zu ermuntern.) Verfluchtes Kind! habe ich das an dir erzogen
müssen! *(Kniet nieder bei ihr.)* Gustel! was fehlt dir? Hast
Wasser eingeschluckt? Bist noch mein Gustel? – Gottlose
Kanaille! Hättst du mir nur ein Wort vorher davon gesagt; ich
hätte dem Lausejungen einen Adelbrief gekauft, da hättet ihr   5
können zusammenkriechen. – Gott behüt'! so helft ihr doch;
sie ist ja ohnmächtig. *(Springt auf, ringt die Hände; umherge-
hend.)* Wenn ich nur wüßt', wo der maledeite Chirurgus vom
Dorf anzutreffen wäre. – Ist sie noch nicht wach?

GUSTCHEN *(mit schwacher Stimme)*. Mein Vater!   10

MAJOR. Was verlangst du?

GUSTCHEN. Verzeihung.

MAJOR *(geht auf sie zu)*. Ja verzeih' dir's der Teufel, ungeratenes
Kind. – Nein, *(kniet wieder bei ihr)* fall nur nicht hin, mein
Gustel – mein Gustel! Ich verzeih' dir; ist alles vergeben und   15
vergessen – Gott weiß es: ich verzeih' dir – Verzeih du mir
nur! Ja aber nun ist's nicht mehr zu ändern. Ich hab' dem
Hundsfott eine Kugel durch den Kopf geknallt.

GEH. RAT. Ich denke, wir tragen sie fort.

MAJOR. Laßt stehen! Was geht sie Euch an? Ist sie doch Eure   20
Tochter nicht. Bekümmert Euch um Euer Fleisch und Bein
daheime. *(Er nimmt sie auf die Arme.)* Da Mädchen – Ich
sollte wohl wieder nach dem Teich mir dir – *(schwenkt sie
gegen den Teich zu)* aber wir wollen nicht eher schwimmen als
bis wir's Schwimmen gelernt haben, mein' ich. – *(Drückt sie*   25
an sein Herz.) O du mein einzig teurester Schatz! Daß ich dich
wieder in meinen Armen tragen kann, gottlose Kanaille!
(Trägt sie fort.)

Sechste Szene

In Leipzig.   30

Fritz von Berg. Pätus.

FRITZ. Das einzige, was ich an dir auszusetzen habe, Pätus. Ich
habe dir's schon lang sagen wollen: untersuche dich nur
selbst; was ist die Ursach zu all deinem Unglück gewesen? Ich
tadle es nicht, wenn man sich verliebt. Wir sind in den Jahren;   35
wir sind auf der See, der Wind treibt uns, aber die Vernunft
muß immer am Steuerruder bleiben, sonst jagen wir auf die

erste beste Klippe und scheitern. Die Hamstern war eine
Kokette, die aus dir machte, was sie wollte; sie hat dich um
deinen letzten Rock, um deinen guten Namen und um den
guten Namen deiner Freunde dazu gebracht: ich dächte, da
5 hättest du klug werden können. Die Rehaarin ist ein unver-
führtes unschuldiges jugendliches Lamm: wenn man gegen
ein Herz, das sich nicht verteidigen will, noch verteidigen
kann, alle mögliche Batterien spielen läßt, um es – was soll ich
sagen? zu zerstören, einzuäschern, das ist unrecht, Bruder
10 Pätus, das ist unrecht. Nimm mir's nicht übel, wir können so
nicht gute Freunde zusammen bleiben. Ein Mann, der gegen
ein Frauenzimmer es so weit treibt, als er nur immer kann, ist
entweder ein Teekessel oder ein Bösewicht; ein Teekessel,
wenn er sich selbst nicht beherrschen kann, die Ehrfurcht, die
15 er der Unschuld und Tugend schuldig ist, aus den Augen zu
setzen: oder ein Bösewicht, wenn er sich selbst nicht beherrschen will und wie der Teufel im Paradiese sein einzig Glück
darin setzt, ein Weib ins Verderben zu stürzen.
PÄTUS. Predige nur nicht, Bruder! Du hast recht; es reut mich,
20 aber ich schwöre dir, ich kann drauf fluchen, daß ich das
Mädchen nicht angerührt habe.
FRITZ. So bist du doch zum Fenster hineingestiegen und die
Nachbarn haben's gesehen, meinst du, ihre Zunge wird so
verschämt sein, wie deine Hand vielleicht gewesen ist? Ich
25 kenne dich, ich weiß, so dreust du scheinst, bist du doch blöde
gegen's Frauenzimmer und darum lieb' ich dich: aber wenn's
auch nichts mehr wäre, als daß das Mädchen ihren guten
Namen verliert, und eine Musikantentochter dazu, ein Mädchen, das alles von der Natur empfing: vom Glück nichts, der
30 ihre einzige Aussteuer, ihren guten Namen, zu rauben – Du
hast sie unglücklich gemacht, Pätus. –
(Herr Rehaar kommt, eine Laute unterm Arm.)
REHAAR. Ergebener Diener von Ihnen; ergebener Diener, Herr
von Berg, wünsche schönen guten Morgen. Wie haben Sie
35 geschlafen und wie steht's Konzertchen? *(Setzt sich und
stimmt.)* Haben Sie's durchgespielt? *(Stimmt.)* Ich habe die
Nacht einen häßlichen Schrecken gehabt, aber ich will's dem
eingedenk sein. – Sie kennen ihn wohl, ist einer von Ihren
Landsleuten. Twing, twing. Das ist eine verdammte Quinte!
40 Will sie doch mein Tage nicht recht tönen; ich will Ihnen
Nachmittag eine andere bringen.

FRITZ *(setzt sich mit seiner Laute).* Ich hab' das Konzert noch
nicht angesehen.

REHAAR. Ei Ei, faules Herr von Bergchen, noch nicht angesehen? Twing! Nachmittag bring' ich Ihnen eine andre. *(Legt
die Laute weg und nimmt eine Prise.)* Man sagt: die Türken   5
sind über die Donau gegangen und haben die Russen brav
zurückgepeitscht, bis – Wie heißt doch nun der Ort? Bis Ot-
schakof, glaub' ich; was weiß ich? so viel sag' ich Ihnen, wenn
Rehaar unter ihnen gewesen wäre, was meinen Sie? Er wäre
noch weiter gelaufen. Ha ha ha! *(Nimmt die Laute wieder.)*   10
Ich sag' Ihnen, Herr von Berg, ich hab' keine größere Freude,
als wenn ich wieder einmal in der Zeitung lese, daß eine
Armee gelaufen ist. Die Russen sind brave Leute, daß sie
gelaufen sind; Rehaar wär' auch gelaufen und alle gescheute
Leute, denn wozu nützt das Stehen und sich totschlagen las-   15
sen, ha ha ha.

FRITZ. Nicht wahr, das ist der erste Griff?

REHAAR. Ganz recht; den zweiten Finger etwas mehr übergelegt
und mit dem kleinen abgerissen, so – Rund, rund den Triller,
rund Herr von Bergchen – Mein seliger Vater pflegt' immer   20
zu sagen, ein Musikus muß keine Courage haben, und ein
Musikus der Herz hat, ist ein Hundsfutt. Wenn er sein Konzertchen spielen kann und seinen Marsch gut bläst – Das hab'
ich auch dem Herzog von Kurland gesagt, als ich nach Petersburg ging, das erstemal in der Suite vom Prinzen Czartorin-   25
sky, und vor ihm spielen mußte. Ich muß noch lachen; als ich
in den Saal kam und wollt' ihm mein tief tief Kompliment
machen, sah' ich nicht, daß der Fußboden von Spiegel war
und die Wände auch von Spiegel, und fiel herunter wie ein
Stück Holz und schlug mir ein gewaltig Loch in Kopf: da   30
kamen die Hofkavaliere und wollten mich drüber necken.
Leid't das nicht, Rehaar, sagte der Herzog, Ihr habt ja einen
Degen an der Seite; leid't das nicht. Ja, sagt' ich, Ew. Herzog-
lichen Majestät, mein Degen ist seit Anno Dreißig nicht aus
der Scheide gekommen, und ein Musikus braucht den Degen   35
nicht zu ziehen, denn ein Musikus, der Herz hat und den
Degen zieht, ist ein Hundsfutt und kann sein Tag auf keinem
Instrument was vor sich bringen – Nein, nein, das dritte Chor
war's, k, k, so – Rein, rein, den Triller rund und den Daumen
unten nicht bewegt, so –   40

PÄTUS *(der sich die Zeit über seitwärts gehalten, tritt hervor und*

bietet Rehaar die Hand). Ihr Diener, Herr Rehaar; wie
geht's?

REHAAR *(hebt sich mit der Laute).* Ergebener Die – Wie soll's
gehen, Herr Pätus? Toujours content, jamais d'argent: das ist
5 des alten Rehaars Sprichwort, wissen Sie, und die Herren
Studenten wissen's alle; aber darum geben sie mir doch
nichts – Der Herr Pätus ist mir auch noch schuldig, von der
letzten Serenade, aber er denkt nicht dran . . .

PÄTUS. Sie sollen haben, liebster Rehaar; in acht Tagen erwart'
10 ich unfehlbar meinen Wechsel.

REHAAR. Ja, Sie haben schon lang gewartet, Herr Pätus, und
Wechselchen ist doch nicht kommen. Was ist zu tun, man
muß Geduld haben, ich sag' immer, ich begegne keinem
Menschen mit so viel Ehrfurcht als einem Studenten: denn
15 ein Student ist nichts, das ist wahr, aber es kann doch alles aus
ihm werden. *(Er legt die Laute auf den Tisch und nimmt eine
Prise.)* Aber was haben Sie mir denn gemacht, Herr Pätus?
Ist das recht; ist das auch honett gehandelt? Sind mir gestern
zum Fenster hineingestiegen, in meiner Tochter Schlaf-
20 kammer.

PÄTUS. Was denn, Vaterchen? ich? . . .

REHAAR *(läßt die Dose fallen).* Ja ich will dich bevaterchen und
ich werd' es gehörigen Orts zu melden wissen, Herr, das sein
Sie versichert. Meiner Tochter Ehr' ist mir lieb und es ist ein
25 honettes Mädchen, hol's der Henker! und wenn ich's nur
gestern gemerkt hätte oder wär' aufgewacht, ich hätt' Euch
zum Fenster hinausgehänselt, daß Ihr das Unterste zuoberst –
Ist das honett, ist das ehrlich? Pfui Teufel, wenn ich Student
bin, muß ich mich auch als Student aufführen, nicht als ein
30 Schlingel – Da haben mir's die Nachbarn heut gesagt: ich
dacht' ich sollte den Schlag drüber kriegen, augenblicks hat
mir das Mädchen auf den Postwagen müssen und das nach
Kurland zu ihrer Tante; ja nach Kurland, Herr, denn hier ist
ihre Ehr' hin und wer zahlt mir nun die Reisekosten? Ich habe
35 wahrhaftig den ganzen Tag keine Laut' anrühren können und
über die funfzehn Quinten sind mir heut gesprungen. Ja
Herr, ich zittere noch am ganzen Leibe und Herr Pätus, ich
will ein Hühnchen mit Ihnen pflücken. Es soll nicht so bleiben; ich will Euch Schlingeln lehren ehrlicher Leute Kinder
40 verführen.

PÄTUS. Herr, schimpf' Er nicht, oder –

REHAAR. Sehen Sie nur an, Herr von Berg! sehn Sie einmal an –
wenn ich nun Herz hätte, ich fodert' ihn augenblicklich vor
die Klinge – Sehen Sie, da steht er und lacht mir noch in die
Zähne obenein. Sind wir denn unter Türken und Heiden, daß
ein Vater nicht mehr mit seiner Tochter sicher ist? Herr Pä-   5
tus, Sie sollen mir's nicht umsonst getan haben, ich sag's Ihnen und sollt's bis an den Kurfürsten selber kommen. Unter
die Soldaten mit solchen lüderlichen Hunden! Dem Kalbsfell
folgen, das ist gescheiter! Schlingel seid Ihr und keine Studenten!   10

PÄTUS *(gibt ihm eine Ohrfeige).* Schimpf' Er nicht; ich hab's Ihm
fünfmal gesagt!

REHAAR *(springt auf, das Schnupftuch vorm Gesicht).* So?
Wart – Wenn ich doch nur den roten Fleck behalten könnte,
bis ich vorn Magnifikus komme – Wenn ich ihn doch nur acht   15
Tage behalten könnte, daß ich nach Dresden reise und ihn
dem Kurfürsten zeige – Wart, es soll dir zu Hause kommen,
wart, wart – Ist das erlaubt? *(Weint.)* Einen Lautenisten zu
schlagen? weil er dir seine Tochter nicht geben will, daß du
Lautchen auf ihr spielen kannst? – Wart, ich will's seiner   20
Kurfürstlichen Majestät sagen, daß du mich ins Gesicht geschlagen hast. Die Hand soll dir abgehauen werden – Schlingel! *(Läuft ab, Pätus will ihm nach; Fritz hält ihn zurück.)*

FRITZ. Pätus! Du hast schlecht gehandelt. Er war beleidigter
Vater, du hättest ihn schonen sollen.   25

PÄTUS. Was schimpfte der Schurke?

FRITZ. Schimpfliche Handlungen verdienen Schimpf. Er konnte
die Ehre seiner Tochter auf keine andere Weise rächen, aber
es möchten sich Leute finden –

PÄTUS. Was? Was für Leute?   30

FRITZ. Du hast sie entehrt, du hast ihren Vater entehrt. Ein
schlechter Kerl, der sich an Weiber und Musikanten wagt, die
noch weniger als Weiber sind.

PÄTUS. Ein schlechter Kerl?

FRITZ. Du sollst ihm öffentlich abbitten.   35

PÄTUS. Mit meinem Stock.

FRITZ. So werd' ich dir in seinem Namen antworten.

PÄTUS *(schreit).* Was willst du von mir?

FRITZ. Genugtuung für Rehaarn.

PÄTUS. Du wirst mich doch nicht zwingen wollen; einfältiger   40
Mensch –

FRITZ. Ja, ich will dich zwingen, kein Schurke zu sein.
PÄTUS. Du bist einer – Du mußt dich mit mir schlagen.
FRITZ. Herzlich gern – wenn du Rehaarn nicht Satisfaktion gibst.
PÄTUS. Nimmermehr.
5 FRITZ. Es wird sich zeigen.

Fünfter Akt

Erste Szene

Die Schule.

Läuffer. Marthe, ein Kind auf dem Arm.

MARTHE. Um Gottes willen! helft einer armen blinden Frau und einem unschuldigen Kinde, das seine Mutter verloren hat.

LÄUFFER *(gibt ihr was).* Wie seid Ihr denn hergekommen, da Ihr nicht sehen könnt?

MARTHE. Mühselig genug. Die Mutter dieses Kindes war meine Leiterin; sie ging eines Tags aus dem Hause, zwei Tage nach ihrer Niederkunft, mittags ging sie fort und wollt' auf den Abend wiederkommen, sie soll noch wiederkommen. Gott schenk' ihr die ewige Freud und Herrlichkeit!

LÄUFFER. Warum tut Ihr den Wunsch?

MARTHE. Weil sie tot ist, das gute Weib; sonst hätte sie ihr Wort nicht gebrochen. Ein Arbeitsmann vom Hügel ist mir begegnet, der hat sie sich in Teich stürzen sehen. Ein alter Mann ist hinter ihr drein gewesen und hat sich nachgestürzt; das muß wohl ihr Vater gewest sein.

LÄUFFER. O Himmel! Welch ein Zittern – Ist das ihr Kind?

MARTHE. Das ist es; sehen Sie nur, wie rund es ist, von lauter Kohl und Rüben aufgefüttert. Was sollt' ich Arme machen; ich konnt' es nicht stillen, und da mein Vorrat auf war, macht' ich's wie Hagar, nahm das Kind auf die Schulter und ging auf Gottes Barmherzigkeit.

LÄUFFER. Gebt es mir auf den Arm – O mein Herz! – Daß ich's an mein Herz drücken kann – Du gehst mir auf, furchtbares Rätsel! *(Nimmt das Kind auf den Arm und tritt damit vor den Spiegel.)* Wie? dies wären nicht meine Züge? *(Fällt in Ohnmacht; das Kind fängt an zu schreien.)*

MARTHE. Fallt Ihr hin? *(Hebt das Kind vom Boden auf.)* Sußchen, mein liebes Sußchen! *(Das Kind beruhigt sich.)* Hört! was habt Ihr gemacht? Er antwortet nicht: ich muß doch um Hülfe rufen; ich glaube, ihm ist weh worden. *(Geht hinaus.)*

Zweite Szene

Ein Wäldchen vor Leipzig.

Fritz von Berg und Pätus stehn mit gezogenem Degen. Rehaar.

FRITZ. Wird es bald?

5 PÄTUS. Willst du anfangen?

FRITZ. Stoß du zuerst.

PÄTUS *(wirft den Degen weg).* Ich kann mich mit dir nicht schlagen.

FRITZ. Warum nicht? Nimm ihn auf. Hab' ich dich beleidigt, so

10 muß ich dir Genugtuung geben.

PÄTUS. Du magst mich beleidigen wie du willst, ich brauch' keine Genugtuung von dir.

FRITZ. Du bleidigst mich.

PÄTUS *(rennt auf ihn zu und umarmt ihn).* Liebster Berg! Nimm

15 es für keine Beleidigung, wenn ich dir sage, du bist nicht im stande mich zu beleidigen. Ich kenne dein Gemüt – und ein Gedanke daran macht mich zur feigsten Memme auf dem Erdboden. Laß uns gute Freunde bleiben, ich will mich gegen den Teufel selber schlagen, aber nicht gegen dich.

20 FRITZ. So gib Rehaarn Satisfaktion, eh' zieh' ich nicht ab von hier.

PÄTUS. Das will ich herzlich gern, wenn er's verlangt.

FRITZ. Er ist immatrikuliert, wie du; du hast ihn ins Gesicht geschlagen – Frisch Rehaar, zieht!

25 REHAAR *(zieht).* Ja, aber er muß seinen Degen da nicht aufheben.

FRITZ. Sie sind nicht gescheit. Wollen Sie gegen einen Menschen ziehen, der sich nicht wehren kann?

REHAAR. Ei laß die gegen bewehrte Leute ziehen, die Courage

30 haben. Ein Musikus muß keine Courage haben, und Herr Pätus, Er soll mir Satisfaktion geben – *(Stößt auf ihn zu. Pätus weicht zurück.)* Satisfaktion geben. *(Stößt Pätus in den Arm. Fritz legiert ihm den Degen)*

FRITZ. Jetzt seh' ich, daß Sie Ohrfeigen verdienen, Rehaar. Pfui!

35 REHAAR. Ja was soll ich denn machen, wenn ich kein Herz habe?

FRITZ. Ohrfeigen einstecken und das Maul halten.

PÄTUS. Still Berg! ich bin nur geschrammt. Herr Rehaar, ich bitt' Sie um Verzeihung. Ich hätte Sie nicht schlagen sollen, da ich

wußte, daß Sie nicht imstande waren, Genugtuung zu fodern;
viel weniger hätt' ich Ihnen Ursache geben sollen, mich zu
schimpfen. Ich gesteh's, diese Rache ist noch viel zu gering
für die Beleidigungen, die ich Ihrem Hause angetan: ich will
sehen, sie auf eine bessere Weise gut zu machen, wenn das   5
Schicksal meinen guten Vorsätzen beisteht. Ich will Ihrer
Tochter nachreisen; ich will sie heiraten. In meinem Vater-
lande wird sich schon eine Stelle für mich finden, und wenn
auch mein Vater bei seinen Lebzeiten sich nicht besänftigen
ließe, so ist mir doch eine Erbschaft von funfzehntausend   10
Gulden gewiß. *(Umarmt ihn.)* Wollen Sie mir Ihre Tochter
bewilligen?

REHAAR. Ei was! ich hab nichts dawider, wenn Ihr ordentlich
und ehrlich um sie anhaltet, und imstand seid, sie zu versor-
gen – Ha ha ha, hab' ich's doch mein Tag gesagt: mit den   15
Studenten ist gut auskommen. Die haben doch noch Honnet-
tetät im Leibe, aber mit den Offiziers – Die machen einem
Mädchen ein Kind und kräht nicht Hund oder Hahn nach: das
macht, weil sie alle kuraschöse Leute sein, und sich müssen
totschlagen lassen. Denn wer Courage hat, der ist zu allen   20
Lastern fähig.

FRITZ. Sie sind ja auch Student. Kommen Sie; wir haben lange
keinen Punsch zusammen gemacht; wir wollen auf die Gesundheit Ihrer Tochter trinken.

REHAAR. Ja und Ihr Lautenkonzertchen dazu, Herr von Berg-   25
chen. Ich hab' Ihnen jetzt drei Stund nacheinander ge-
schwänzt, und weil ich auch honett denke, so will ich heute
dafür drei Stunden nacheinander auf Ihrem Zimmerchen
bleiben und wollen Lautchen spielen, bis dunkel wird.

PÄTUS. Und ich will die Violin dazu streichen.   30

Dritte Szene

Die Schule.

Läuffer liegt zu Bette. Wenzeslaus.

WENZESLAUS. Das Gott! was gibt's schon wieder, daß Ihr mich
von der Arbeit abrufen laßt? Seid Ihr schon wieder schwach?   35
Ich glaube, das alte Weib war eine Hexe. – Seit der Zeit habt
Ihr keine gesunde Stunde mehr.

LÄUFFER. Ich werd' es wohl nicht lange mehr machen.

WENZESLAUS. Soll ich Gevatter Schöpsen rufen lassen?

LÄUFFER. Nein.

WENZESLAUS. Liegt Euch was auf dem Gewissen? Sagt mir's,
5 entdeckt mir's, unverhohlen. – Ihr blickt so scheu umher, daß
es einem ein Grauen einjagt, frigidus per ossa – Sagt mir, was
ist's? – Als ob er jemand totgeschlagen hätte – Was verzerrt
Ihn denn die Lineamenten so – Behüt' Gott, ich muß doch nur
zu Schöpsen –

10 LÄUFFER. Bleibt – Ich weiß nicht, ob ich recht getan – Ich habe
mich kastriert . . .

WENZESLAUS. Wa – Kastriert – Da mach' ich Euch meinen herz-
lichen Glückwunsch drüber, vortrefflich, junger Mann, zweiter Origenes! Laß Dich umarmen, teures, auserwähltes Rüst-
15 zeug! Ich kann's Euch nicht verhehlen, fast – fast kann ich
dem Heldenvorsatz nicht widerstehen, Euch nachzuahmen.
So recht, werter Freund! Das ist die Bahn, auf der Ihr eine
Leuchte der Kirche, ein Stern erster Größe, ein Kirchenvater
selber werden könnt. Ich glückwünsche Euch, ich ruf' Euch
20 ein Jubilate und Evoë zu, mein geistlicher Sohn – Wär' ich
nicht über die Jahre hinaus, wo der Teufel unsern ersten und
besten Kräften sein arglistiges Netz ausstellt, gewiß ich würde
mich keinen Augenblick bedenken. –

LÄUFFER. Bei alledem, Herr Schulmeister, gereut es mich.

25 WENZESLAUS. Wie, es gereut Ihn? Das sei ferne, werter Herr
Mitbruder! Er wird eine so edle Tat doch nicht mit törichter
Reue verdunkeln und mit sündlichen Tränen besudeln? Ich
seh' schon welche über Sein Augenlid hervorquellen.
Schluck' Er sie wieder hinunter und sing' Er mit Freudigkeit:
30 ich bin der Nichtigkeit entbunden, nun Flügel, Flügel, Flügel
her. Er wird es doch nicht machen wie Lots Weib und sich
wieder nach Sodom umsehen, nachdem Er einmal das fried-
fertige stille Zoar erreicht hat? Nein, Herr Kollega; ich muß
Ihm auch nur sagen, daß Er nicht der einzige ist, der den
35 Gedanken gehabt hat. Schon unter den blinden Juden war
eine Sekte, zu der ich mich gern öffentlich bekannt hätte,
wenn ich nicht befürchtet, meine Nachbarn und meine armen
Lämmer in der Schule damit zu ärgern: auch hatten sie freilich einige Schlacken und Torheiten dabei, die ich nun eben
40 nicht mitmachen möchte. Zum Exempel, daß sie des Sonntags nicht einmal ihre Notdurft verrichteten, welches doch

wider alle Regeln einer vernünftigen Diät ist, und halt' ich's
da lieber mit unserm seligen Doktor Luther: was hinaufsteigt,
das ist für meinen lieben Gott, aber was hinuntergeht, Teufel,
das ist für dich – Ja wo war ich?

LÄUFFER. Ich fürchte, meine Bewegungsgründe waren von an-   5
drer Art . . . Reue, Verzweiflung –

WENZESLAUS. Ja, nun hab' ich's – Die Essäer, sag' ich, haben
auch nie Weiber genommen; es war eins von ihren Grundge-
setzen und dabei sind sie zu hohem Alter kommen, wie sol-
ches im Josephus zu lesen. Wie die es nun angefangen, ihr   10
Fleisch so zu bezähmen; ob sie es gemacht, wie ich, nüchtern
und mäßig gelebt und brav Toback geraucht, oder ob sie Euren Weg eingeschlagen – So viel ist gewiß, in amore, in amore
omnia insunt vitia und ein Jüngling, der diese Klippe vorbei-
schifft, Heil, Heil ihm, ich will ihm Lorbeern zuwerfen; lauro   15
tempora cingam et sublimi fronte sidera pulsabit.

LÄUFFER. Ich fürcht', ich werd' an dem Schnitt sterben müssen.

WENZESLAUS. Mitnichten, da sei Gott für. Ich will gleich zu
Gevatter Schöpsen. Der Fall wird ihm freilich noch nie vorge-
kommen sein, aber hat er Euch Euren Arm kuriert, welches   20
doch eine Wunde war, die nicht zu Eurer Wohlfahrt diente,
so wird ja Gott auch ihm Gnade zu einer Kur geben, die Euer
ewiges Seelenheil befördern wird. *(Geht ab.)*

LÄUFFER. Sein Frohlocken verwundet mich mehr als mein Mes-
ser. O Unschuld, welch eine Perle bist du! Seit ich dich verlo-   25
ren, tat ich Schritt auf Schritt in der Leidenschaft und endigte
mit Verzweiflung. Möchte dieser letzte mich nicht zum Tode
führen, vielleicht könnt' ich itzt wieder anfangen zu leben und
zum Wenzeslaus wiedergeboren werden.

Vierte Szene   30

In Leipzig.

Fritz von Berg und Rehaar begegnen sich auf der Straße.

REHAAR. Herr von Bergchen, ein Briefchen, unter meinem
Kuvert gekommen. Herr von Seiffenblase hat an mich geschrieben; hat auch Lautchen bei mir gelernt vormals. Er   35

bittet mich, ich soll doch diesen Brief einem gewissen Herrn
von Berg in Leipzig abgeben, wenn er anders noch da wäre –
O wie bin ich gesprungen!

FRITZ. Wo hält er sich denn itzt auf, Seiffenblase?

5 REHAAR. Soll es dem Herrn von Berg abgeben, schreibt er,
wenn Sie anders diesen würdigen Mann kennen. O wie bin ich
gesprungen – Er ist in Königsberg, der Herr von Seiffenblase.
Was meinen Sie, und meine Tochter ist auch da, und logiert
ihm grad gegenüber. Sie schreibt mir, die Kathrinchen, daß
10 sie nicht genug rühmen kann, was er ihr für Höflichkeit er-
zeigt, alles um meinetwillen; hat sieben Monat bei mir gelernt.

FRITZ *(zieht die Uhr aus)*. Liebster Rehaar, ich muß ins Colle-
gium – Sagen Sie Pätus nichts davon, ich bitte Sie – *(Geht ab.)*

15 REHAAR *(ruft ihm nach)*. Auf den Nachmittag – Konzertchen! –

Fünfte Szene

Zu Königsberg in Preußen.

*Geheimer Rat, Gustchen, Major stehn in ihrem Hause am Fen-
ster.*

20 GEH. RAT. Ist er's!

GUSTCHEN. Ja, er ist's.

GEH. RAT. Ich sehe doch, die Tante muß ein lüderliches Mensch
sein, oder sie hat einen Haß auf ihre Nichte geworfen und will
sie mit Fleiß ins Verderben stürzen.

25 GUSTCHEN. Aber Onkel, sie kann ihm doch das Haus nicht ver-
bieten.

GEH. RAT. Auf das, was ich ihr gesagt? – Wer will's ihr übel
nehmen, wenn sie zu ihm sagte: Herr von Seiffenblase, Sie
haben sich auf einem Kaffeehause verlauten lassen, Sie woll-
30 ten meine Nichte zu Ihrer Mätresse machen, suchen Sie sich
andre Bekanntschaften in der Stadt; bei mir kommen Sie
unrecht: meine Nichte ist eine Ausländerin, die meiner Aufsicht anvertraut ist; die sonst keine Stütze hat; wenn sie ver-
35 führt würde, fiel' alle Rechenschaft auf mich. Gott und Menschen müßten mich verdammen.

MAJOR. Still Bruder! Er kommt heraus und läßt die Nase

erbärmlich hängen. Ho, ho, ho, daß du die Krepanz! Wie
blaß er ist.

GEH. RAT. Ich will doch gleich hinüber, und sehn was es gegeben
hat.

Sechste Szene

In Leipzig.

*Pätus an einem Tisch und schreibt. Berg tritt herein einen Brief in
der Hand.*

PÄTUS *(sieht auf und schreibt fort)*.

FRITZ. Pätus! – Hast zu tun?

PÄTUS. Gleich – *(Fritz spaziert auf und ab.)* Jetzt – *(Legt das
Schreibzeug weg.)*

FRITZ. Pätus! ich hab' einen Brief bekommen – und hab' nicht
das Herz, ihn aufzumachen.

PÄTUS. Von wo kommt er? Ist's deines Vaters Hand?

FRITZ. Nein, von Seiffenblase – aber die Hand zittert mir, sobald
ich erbrechen will. Brich doch auf, Bruder, und lies mir vor.
(Wirft sich auf einen Lehnstuhl.)

PÄTUS *(liest)*. »Die Erinnerung so mancher angenehmen Stunden, deren ich mich noch mit Ihnen genossen zu haben erin-
nere, verpflichtet mich, Ihnen zu schreiben und Sie an diese
angenehme Stunden zu erinnern« – Was der Junge für eine
rasende Orthographie hat.

FRITZ. Lies doch nur –

PÄTUS. »Und weil ich mich verpflichtet hielt, Ihnen Nachrichten
von meiner Ankunft und den Neuigkeiten, die allhier vorge-
fallen, als melde Ihnen von Dero wertesten Familie, welche
leider sehr viele Unglücksfälle in diesem Jahre erlebt hat, und
wegen der Freundschaft, welche ich in Dero Eltern ihrem
Hause genossen, sehe mich verpflichtet, weil ich weiß, daß
Sie mit Ihrem Herrn Vater in Mißverständnis und er Ihnen
lange wohl nicht wird geschrieben haben, so werden Sie auch
wohl den Unglücksfall nicht wissen mit dem Hofmeister, welcher aus Ihres gnädigen Onkels Hause ist gejagt worden, weil
er Ihre Kusine genotzüchtigt, worüber sie sich so zu Gemüt
gezogen, daß sie in einen Teich gesprungen, durch welchen
Trauerfall Ihre ganze Familie in den höchsten Schröcken« –
Berg! was ist dir – *(Begießt ihn mit Lavendel.)* Wie nun Berg?

Rede, wird dir weh – Hätt' ich dir doch den verdammten Brief
nicht – Ganz gewiß ist's eine Erdichtung – Berg! Berg!

FRITZ. Laß mich – Es wird schon übergehn.

PÄTUS. Soll ich jemand holen, der dir die Ader schlägt.

5 FRITZ. O pfui doch – tu doch so französisch nicht – Lies mir's
noch einmal vor.

PÄTUS. Ja, ich werde dir – Ich will den hunsföttischen maliziösen
Brief den Augenblick – *(Zerreißt ihn.)*

FRITZ. Genotzüchtigt – ersäuft. *(Schlägt sich an die Stirn.)* Meine
10 Schuld! *(Steht auf.)* meine Schuld einzig und allein –

PÄTUS. Du bist wohl nicht klug – Willst dir die Schuld geben, daß
sie sich vom Hofmeister verführen läßt –

FRITZ. Pätus, ich schwur ihr, zurück zu kommen, ich schwur ihr –
Die drei Jahr sind verflossen, ich bin nicht gekommen, ich
15 bin aus Halle fortgegangen, mein Vater hat keine Nachrichten
von mir gehabt. Mein Vater hat mich aufgegeben, sie hat es
erfahren, Gram – Du kennst ihren Hang zur Melancholei –
die Strenge ihrer Mutter obenein, Einsamkeit, auf dem
Lande, betrogne Liebe – Siehst du das nicht ein, Pätus;
20 siehst du das nicht ein? Ich bin ein Bösewicht: ich bin schuld
an ihrem Tode *(Wirft sich wieder in den Stuhl und verhüllt
sein Gesicht.)*

PÄTUS. Einbildungen! – Es ist nicht wahr, es ist so nicht gegangen. *(Stampft mit dem Fuß.)* Tausend Sapperment, daß du so
25 dumm bist, und alles glaubst, der Spitzbube, der Hundsfutt,
der Bärenhäuter, der Seiffenblase, will dir einen Streich spielen – Laß mich ihn einmal zu sehen kriegen. – Es ist nicht
wahr, daß sie tot ist, und wenn sie tot ist, so hat sie sich nicht
selbst umgebracht . . .

30 FRITZ. Er kann doch das nicht aus der Luft saugen – Selbst
umgebracht – *(Springt auf.)* O das ist entsetzlich!

PÄTUS *(stampft abermal mit dem Fuß).* Nein, sie hat sich selbst
nicht umgebracht. Seiffenblase lügt, wir müssen mehr Bestä-
tigung haben. Du weißt, daß du ihm einmal im Rausch erzählt
35 hast, daß du in deine Kusine verliebt wärst; siehst du, das hat
die maliziöse Kanaille aufgefangen – aber weißt du was; weißt
du, was du tust? Hust ihm was; pfeif ihm was; pfui ihm was,
schreib ihm, Ew. Edlen danke dienstfreundlichst für Dero
Neuigkeiten, und bitte, Sie wollen mich im – Das ist der beste
40 Rat, schreib ihm zurück: Ihr seid ein Hundsfutt. Das ist das
Vernünftigste, was du bei der Sache tun kannst.

FRITZ. Ich will nach Hause reisen.

PÄTUS. So reis' ich mit dir – Berg, ich lass' dich keinen Augenblick allein.

FRITZ. Aber wovon? Reisen ist bald ausgesprochen – Wenn ich
keine abschlägige Antwort befürchtete, so wollt' ich es bei   5
Leichtfuß et Compagnie versuchen, aber ich bin ihnen schon
hundertfunfzig Dukaten schuldig –

PÄTUS. Wir wollen beide zusammen hingehn – Wart, wir müssen
die Lotterie vorbei. Heut ist die Post aus Hamburg angekommen, ich will doch unterwegs nachfragen; zum Spaß nur –   10

Siebente Szene

In Königsberg.

Geheimer Rat führt Jungfer Rehaar an der Hand. Augustchen.
Major.

GEH. RAT. Hier, Gustchen, bring' ich dir eine Gespielin. Ihr seid   15
in *einem* Alter, *einem* Verhältnisse – Gebt euch die Hand,
und seid Freundinnen.

GUSTCHEN. Das bin ich lange gewesen, liebe Mamsell! Ich weiß
nicht, was es war, das in meinem Busen auf und ab stieg,
wenn ich Sie aus dem Fenster sah; aber Sie waren in so viel   20
Zerstreuungen verwickelt, so mit Kutschenbesuchen und Se-
renaden belästigt, daß ich mit meinem Besuch zu unrechter
Zeit zu kommen fürchtete.

JUNGFER REHAAR. Ich wäre Ihnen zuvorgekommen, gnädiges
Fräulein, wenn ich das Herz gehabt. Allein in ein so vorneh-   25
mes Haus mich einzudrängen, hielt ich für unbesonnen, und
mußte dem Zug meines Herzens, das mich schon oft bis vor
Ihre Tür geführt hat, allemal mit Gewalt widerstehen.

GEH. RAT. Stell dir vor, Major; der Seiffenblase hat auf die War-
nung, die ich der Frau Dutzend tat, und die sie ihm wiederer-   30
zählt hat und zwar, wie ich's verlangt, unter meinem Namen,
geantwortet: er werde sich schon an mir zu rächen wissen. Er
hat alles das so gut von sich abzulehnen gewußt, und ist gleich
tags drauf mit dem Minister Deichsel hingefahren kommen,
daß die arme Frau das Herz nicht gehabt, sich seine Besuche   35
zu verbitten. Gestern nacht hat er zwei Wagen in diese Straße
bestellt und einen am Brandenburger Tor, das wegen des

Feuerwerks offen blieb, das erfährt die Madam gestern vor-
mittag schon. Den Nachmittag will er für Henkers Gewalt die
Mamsell überreden, mit ihm zum Minister auf die Assemblee
zu fahren, aber Madam Dutzend traute dem Frieden nicht,
5 und hat's ihm rund abgeschlagen. Zweimal ist er vor die Tür
gefahren, aber hat wieder umkehren müssen; da seine Karte
also verzettelt war, wollt' er's heut probieren. Madam Dutzend hat ihm nicht allein das Haus verboten, sondern zugleich
angedeutet: sie sehe sich genötigt, sich vom Gouverneur Wa-
10 che vor ihrem Hause auszubitten. Da hat er Flammen ge-
spien, hat mit dem Minister gedroht – Um die Madam völlig
zu beruhigen, hab' ich ihr angetragen: die Mamsell in unser
Haus zu nehmen. Wir wollen sie auf ein halb Jahr nach Insterburg mitnehmen, bis Seiffenblase sie vergessen hat, oder so
15 lang als es ihr selber nur da gefallen kann –
MAJOR. Ich hab' schon anspannen lassen. Wenn wir nach Heidelbrunn fahren, Mamsell, so lass' ich Sie nicht los. Sie müssen mit, oder meine Tochter bleibt mit Ihnen in Insterburg.
GEH. RAT. Das wär' wohl am besten. Ohnehin taugt das Land für
20 Gustchen nicht und Mamsell Rehaar lass' ich nicht von mir.
MAJOR. Gut, daß deine Frau dich nicht hört – oder hast du
Absichten auf deinen Sohn?
GEH. RAT. Mach' das gute Kind nicht rot. Sie werden ihn in
Leipzig oft genug müssen gesehen haben, den bösen Buben.
25 Gustchen, du wirst zur Gesellschaft mit rot? Er verdient's
nicht.
GUSTCHEN. Da mein Vater mir vergeben hat, sollte Ihr Sohn ein
minder gütiges Herz bei Ihnen finden?
GEH. RAT. Er ist auch noch in keinen Teich gesprungen.
30 MAJOR. Wenn wir nur das blinde Weib mit dem Kinde ausfündig
gemacht hätten, von dem mir der Schulmeister schreibt; eh'
kann ich nicht ruhig werden – Kommt! ich muß noch heut auf
mein Gut.
GEH. RAT. Daraus wird nichts. Du mußt die Nacht in Insterburg
35 schlafen.

Achte Szene

Leipzig.

Bergs Zimmer.

Fritz von Berg sitzt, die Hand untern Kopf gestützt. Pätus stürzt
herein.   5

PÄTUS. Triumph Berg! Was kalmäuserst du? – Gott! Gott!
(Greift sich an den Kopf und fällt auf die Knie.) Schicksal!
Schicksal! – Nicht wahr, Leichtfuß hat dir nicht vorschießen
wollen? Laß ihn dich – Ich hab' Geld, ich hab' alles – Drei-
hundertachtzig Friedrichsd'or gewonnen auf einem Zug!   10
(Springt auf und schreit.) Heidideldum, nach Insterburg!
Pack ein!
FRITZ. Bist du närrisch worden?
PÄTUS *(zieht einen Beutel mit Gold hervor und wirft alles auf die*
Erde). Da ist meine Narrheit. Du bist ein Narr mit deinem   15
Unglauben – Nun hilf auflesen; buck dich etwas – und heut
noch nach Insterburg, Juchhe! *(Lesen auf.)* Ich will meinem
Vater die achtzig Friedrichsd'or schenken, so viel betrug grad
mein letzter Wechsel, und zu ihm sagen: nun Herr Papa, wie
gefall' ich Ihnen itzt? All deine Schulden können wir bezah-   20
len, und meine obenein, und denn reisen wir wie die Prinzen.
Juchhe!

Neunte Szene

Die Schule.

Wenzeslaus. Läuffer. Beide in schwarzen Kleidern.   25

WENZESLAUS. Wie hat Ihm die Predigt gefallen, Kollege! Wie
hat Er sich erbaut?
LÄUFFER. Gut, recht gut. *(Seufzt.)*
WENZESLAUS *(nimmt seine Perücke ab und setzt eine Nachtmütze*
auf). Damit ist's nicht ausgemacht. Er soll mir sagen, welche   30
Stelle aus der Predigt vorzüglich gesegnet an seinem Herzen
gewesen. Hör' Er – setz' Er sich. Ich muß Ihm was sagen; ich
hab' eine Anmerkung in der Kirche gemacht, die mich ge-
beugt hat. Er hat mir da so wetterwendisch gesessen, daß ich
mich Seiner, die Wahrheit zu sagen, vor der ganzen Gemeine   35

geschämt habe und dadurch oft fast aus meinem Konzept
kommen bin. Wie, dacht' ich, dieser junge Kämpfer, der so
ritterlich durchgebrochen und den schwersten Strauß schon
gewissermaßen überwunden hat – Ich muß es Ihm bekennen:
5 Er hat mich geärgert, σκάνδαλον ἐδίδους, ἕταιρε! Ich hab's
wohl gemerkt, wohin es ging, ich hab's wohl gemerkt; immer
nach der mittlern Tür zu da nach der Orgel hinunter.

LÄUFFER. Ich muß bekennen, es hing ein Gemälde dort, das
mich ganz zerstreut hat. Der Evangelist Markus mit einem
10 Gesicht, das um kein Haar menschlicher aussah, als der Lö-
we, der bei ihm saß, und der Engel beim Evangelisten Mat-
thäus eher einer geflügelten Schlange ähnlich.

WENZESLAUS. Es war nicht das, mein Freund! Bild' Er mir's
nicht ein; es war nicht das. Sag' Er mir doch, ein Bild sieht
15 man an und sieht wieder weg, und dann ist's alles. Hat Er
denn gehört, was ich gesagt habe? Weiß Er mir *ein* Wort aus
meiner Predigt wieder anzuführen? Und sie war doch ganz
für Ihn gehalten; ganz kasuistisch – O! o! o!

LÄUFFER. Der Gedanke gefiel mir vorzüglich, daß zwischen uns-
20 rer Seele und ihrer Wiedergeburt und zwischen dem Flachs-
und Hanfbau eine große Ähnlichkeit herrsche, und so wie der
Hanf im Schneidebrett durch heftige Stöße und Klopfen von
seiner alten Hülse befreit werden müsse, so müsse unser
Geist auch durch allerlei Kreuz und Leiden und Ertötung der
25 Sinnlichkeit für den Himmel zubereitet werden.

WENZESLAUS. Er war kasuistisch, mein Freund –

LÄUFFER. Doch kann ich Ihnen auch nicht bergen, daß Ihre Liste
von Teufeln, die aus dem Himmel gejagt worden, und die
Geschichte der ganzen Revolution da, daß Luzifer sich für
30 den schönsten gehalten – Die heutige Welt ist über den Aberglauben längst hinweg; warum will man ihn wieder aufwär-
men. In der ganzen heutigen vernünftigen Welt wird kein
Teufel mehr statuiert –

WENZESLAUS. Darum wird auch die ganze heutige vernünftige
35 Welt zum Teufel fahren. Ich mag nicht verdammen, lieber
Herr Mandel; aber das ist wahr, wir leben in seelen-verderbli-
chen Zeiten: es ist die letzte böse Zeit. Ich mag mich drüber
weiter nicht auslassen: ich seh' wohl, Er ist ein Zweifler auch,
und auch solche Leute muß man tragen. Es wird schon kom-
40 men; Er ist noch jung – aber gesetzt auch, posito auch, aber
nicht zugestanden, unsere Glaubenslehren wären all Aber-

glauben, über Geister, über Höll, über Teufel, da – Was tut's
Euch, was beißt's Euch, daß Ihr Euch so mit Händen und
Füßen dagegen wehrt? Tut nichts Böses, tut recht und denn
so braucht Ihr die Teufel nicht zu scheuen, und wenn ihrer
mehr wären wie Ziegel auf dem Dach, wie der selige Lutherus   5
sagt. Und Aberglauben – O schweigt still, schweigt still, lieben Leut. Erwägt erst mit reifem Nachdenken, was der Aber-
glaube bisher für Nutzen gestiftet hat, und denn habt mir
noch das Herz, mit Euren nüchternen Spötteleien gegen mich
anzuziehen. Reutet mir den Aberglauben aus; ja wahrhaftig   10
der rechte Glaub wird mit draufgehn, und ein nacktes Feld
dableiben. Aber ich weiß jemand, der gesagt hat, man soll
beides wachsen lassen, es wird schon die Zeit kommen, da
Kraut sich von dem Unkraut scheiden wird. Aberglauben –
Nehmt dem Pöbel seinen Aberglauben, er wird freigeistern,   15
wie Ihr und Euch vor den Kopf schlagen. Nehmt dem Bauer
seinen Teufel, und er wird ein Teufel gegen seine Herrschaft
werden und ihr beweisen, daß es welche gibt. Aber wir wollen
das beiseite setzen – Wovon redt' ich doch? – Recht, sag' Er
mir, wen hat Er angesehen in der ganzen Predigt? Verhehl'   20
Er mir nichts. Ich war es nicht, denn sonst müßt' Er schielen,
daß es eine Schande wäre.

LÄUFFER. Das Bild.

WENZESLAUS. Es war nicht das Bild – Dort unten, wo die Mäd-
chen sitzen, die bei ihm in die Kinderlehre gehen – Lieber   25
Freund! es wird doch nichts vom alten Sauerteig in seinem
Herzen geblieben sein – Ei, ei! wer einmal geschmeckt hat die
Kräfte der zukünftigen Welt – Ich bitt' Ihn, mir stehn die
Haare zu Berge – Nicht wahr, die eine da mit dem gelben
Haar so nachlässig unter das rote Häubchen gesteckt und mit   30
den lichtbraunen Augen, die allemal unter den schwarzen
Augbrauen so schalkhaft hervorblinzen, wie die Sterne hinter Regenwolken – Es ist wahr, das Mädchen ist gefährlich;
ich hab's nur einmal von der Kanzel angesehn, und mußte
hernach allemal die Augen platt zudrücken, wenn sie auf sie   35
fielen, sonst wär' mir's gegangen, wie den weisen Männern im
Areopagus, die Recht und Gerechtigkeit vergaßen um einer
schnöden Phryne willen. – Aber sag' Er mir doch, wo will Er
hin, daß Er sich noch bösen Begierden überläßt, da's Ihm
sogar an Mitteln fehlt, sie zu befriedigen? Will Er sich dem   40
Teufel ohne Sold dahingeben? Ist das das Gelübd, das er dem

Herrn getan – Ich rede als Sein geistlicher Vater mit Ihm – Er,
der itzt mit so wenig Mühe über alle Sinnlichkeit triumphie-
ren, über die Erde sich hinausschwingen und bessern Revie-
ren zufliegen könnte. *(Umarmt ihn.)* Ach mein lieber Sohn,
bei diesen Tränen, die ich aus wahrer herzlicher Sorgfalt für
Ihn vergieße; kehr' Er nicht zu den Fleischtöpfen Egyptens
zurück, da Er Kanaan so nahe war! Eile, eile! rette deine
unsterbliche Seele! Du hast auf der Welt nichts, das dich
mehr zurückhalten könnte. Die Welt hat nichts mehr für
dich, womit sie Deine Untreu Dir einmal belohnen könnte;
nicht einmal eine sinnliche Freude, geschweige denn Ruhe
der Seelen – Ich geh' und überlasse dich deinen Entschließun-
gen. *(Geht ab.)*
(Läuffer bleibt in tiefen Gedanken sitzen.)

Zehnte Szene.

*Lise tritt herein, ein Gesangbuch in der Hand, ohne daß er
sie gewahr wird. Sie sieht ihm lang stillschweigend zu. Er
springt auf, will knien; wird sie gewahr und sieht sie eine Weile
verwirrt an.*

LÄUFFER *(nähert sich ihr)*. Du hast eine Seele dem Himmel
gestohlen. *(Faßt sie an die Hand.)* Was führt dich hieher, Lise?
LISE. Ich komme, Herr Mandel – Ich komme, weil Sie gesagt
haben, es würd' morgen keine Kinderlehr – weil Sie – so
komm' ich – gesagt haben – ich komme, zu fragen, ob morgen
Kinderlehre sein wird.
LÄUFFER. Ach! – – Seht diese Wangen, ihr Engel! Wie sie in
unschuldigem Feuer brennen und denn verdammt mich,
wenn ihr könnt – – Lise, warum zittert deine Hand? Warum
sind dir die Lippen so bleich und die Wangen so rot? Was
willst du?
LISE. Ob morgen Kinderlehr sein wird?
LÄUFFER. Setz dich zu mir nieder – Leg dein Gesangbuch weg –
Wer steckt dir das Haar auf, wenn du nach der Kirche gehst?
(Setzt sie auf einen Stuhl neben seinem.)
LISE *(will aufstehn)*. Verzeih' Er mir; die Haube wird wohl nicht
recht gesteckt sein; es macht' einen so erschrecklichen Wind,
als ich zur Kirche kam.
LÄUFFER *(nimmt ihre beiden Hände in seine Hand)*. O du bist –

Wie alt bist du, Lise? – Hast du niemals – Was wollt' ich doch
fragen – Hast du nie Freier gehabt?

LISE *(munter)*. O ja einen, noch die vorige Woche; und des
Schafwirts Grethe war so neidisch auf mich und hat immer
gesagt: ich weiß nicht was er sich um das einfältige Mädchen   5
so viel Mühe macht, und denn hab' ich auch noch einen Offizier gehabt; es ist noch kein Vierteljahr.

LÄUFFER. Einen Offizier?

LISE. Ja doch, und einer von den recht vornehmen. Ich sag'
Ihnen, er hat drei Tressen auf dem Arm gehabt: aber ich war   10
noch zu jung und mein Vater wollt' mich ihm nicht geben,
wegen des soldatischen Wesens und Ziehens.

LÄUFFER. Würdest du – O ich weiß nicht, was ich rede – Würdest
du wohl – Ich Elender!

LISE. O ja, von ganzem Herzen.   15

LÄUFFER. Bezaubernde! – *(Will ihr die Hand küssen.)* Du weißt
ja noch nicht, was ich fragen wollte.

LISE *(zieht sie weg)*. O lassen Sie, meine Hand ist ja so schwarz –
O pfui doch! Was machen Sie? Sehen Sie, einen geistlichen
Herrn hätt' ich allewege gern: von meiner ersten Jugend an   20
hab' ich die studierte Herren immer gern gehabt; sie sind
allewiel so artig, so manierlich, nicht so puf paf, wie die Soldaten, obschon ich einewege die auch gern habe, das leugn'
ich nicht, wegen ihrer bunten Röcke; ganz gewiß, wenn die
geistlichen Herren in so bunten Röcken gingen, wie die Sol-   25
daten, das wäre zum Sterben.

LÄUFFER. Laß mich deinen mutwilligen Mund mit meinen Lippen zuschließen. *(Küßt sie.)* O Lise! Wenn du wüßtest, wie
unglücklich ich bin.

LISE. O pfui, Herr, was machen Sie?   30

LÄUFFER. Noch einmal und denn ewig nicht wieder! *(Küßt sie.
Wenzeslaus tritt herein.)*

WENZESLAUS. Was ist das? Pro deum atque hominum fidem!
Wie nun, falscher, falscher, falscher Prophet! Reißender
Wolf in Schafskleidern! Ist das die Sorgfalt, die du deiner   35
Herde schuldig bist? Die Unschuld selber verführen, die du
vor Verführung bewahren sollst? Es muß ja Ärgernis kommen, doch wehe dem Menschen, durch welchen Ärgernis
kommt!

LÄUFFER. Herr Wenzeslaus!   40

WENZESLAUS. Nichts mehr! Kein Wort mehr! Ihr habt Euch in

Eurer wahren Gestalt gezeigt. Aus meinem Hause, Verführer!

LISE *(kniet vor Wenzeslaus).* Lieber Herr Schulmeister, er hat mir nichts Böses getan.

5 WENZESLAUS. Er hat dir mehr Böses getan, als dir dein ärgster Feind tun könnte. Er hat dein unschuldiges Herz verführt.

LÄUFFER. Ich bekenne mich schuldig – Aber kann man so vielen Reizungen widerstehen? Wenn man mir dies Herz aus dem Leibe risse und mich Glied vor Glied verstümmelte und ich

10 behielt' nur eine Ader von Blut noch übrig, so würde diese verräterische Ader doch für Lisen schlagen.

LISE. Er hat mir nichts Leides getan.

WENZESLAUS. Dir nichts Leides getan – Himmlischer Vater!

LÄUFFER. Ich hab' ihr gesagt, daß sie die liebenswürdigste Krea-

15 tur sei, die jemals die Schöpfung beglückt hat; ich hab' ihr das auf ihre Lippen gedrückt; ich hab' diesen unschuldigen Mund mit meinen Küssen versiegelt, welcher mich sonst durch seine Zaubersprache zu noch weit größeren Verbrechen würde hingerissen haben.

20 WENZESLAUS. Ist das kein Verbrechen? Was nennt Ihr jungen Herrn heutzutage Verbrechen? O tempora, o mores! Habt Ihr den Valerius Maximus gelesen? Habt Ihr den Artikel gelesen de pudicitia? Da führt er einen Mänius an, der seinen Freigelassenen totgeschlagen hat, weil er seine Tochter ein-

25 mal küßte und die Räson: ut etiam oscula ad maritum sincera perferret. Riecht Ihr das? Schmeckt Ihr das? Etiam oscula, non solum virginitatem, etiam oscula. Und Mänius war doch nur ein Heide: was soll ein Christ tun, der weiß, daß der Ehstand von Gott eingesetzt ist und daß die Glückseligkeit

30 eines solchen Standes an der Wurzel vergiften, einem künftigen Gatten in seiner Gattin seine Freud und Trost verderben; seinen Himmel profanieren – Fort, aus meinen Augen, Ihr Bösewicht! Ich mag mit Euch nichts zu tun haben! Geht zu einem Sultan und laßt Euch zum Aufseher über ein Serail

35 dingen, aber nicht zum Hirten meiner Schafe. Ihr Mietling. Ihr reißender Wolf in Schafskleidern!

LÄUFFER. Ich will Lisen heiraten.

WENZESLAUS. Heiraten – Ei ja doch – als ob sie mit einem Eunuch zufrieden?

40 LISE. O ja, ich bin's herzlich wohl zufrieden, Herr Schulmeister.

LÄUFFER. Ich Unglücklicher!

LISE. Glauben Sie mir, lieber Herr Schulmeister, ich lass' einmal
nicht von ihm ab. Nehmen Sie mir das Leben; ich lasse nicht
ab von ihm. Ich hab' ihn gern und mein Herz sagt mir, daß ich
niemand auf der Welt so gern haben kann als ihn.

WENZESLAUS. So – daß doch – Lise, du verstehst das Ding nicht –   5
Lise, es läßt sich dir so nicht sagen, aber du kannst ihn nicht
heiraten; es ist unmöglich.

LISE. Warum soll es denn unmöglich sein, Herr Schulmeister?
Wie kann's unmöglich sein, wenn ich will und wenn er will,
und mein Vater auch es will? Denn mein Vater hat mir immer   10
gesagt, wenn ich einmal einen geistlichen Herrn bekommen
könnte –

WENZESLAUS. Aber daß dich der Kuckuck, er kann ja nichts –
Gott verzeih' mir meine Sünde, so laß dir doch sagen.

LÄUFFER. Vielleicht fodert sie das nicht – Lise, ich kann bei dir   15
nicht schlafen.

LISE. So kann Er doch wachen bei mir, wenn wir nur den Tag
über beisammen sind und uns so anlachen und uns einsweilen
die Hände küssen – Denn bei Gott! ich hab' ihn gern. Gott
weiß es, ich hab' Ihn gern.   20

LÄUFFER. Sehn Sie, Herr Wenzeslaus! Sie verlangt nur Liebe
von mir. Und ist's denn notwendig zum Glück der Ehe, daß
man tierische Triebe stillt?

WENZESLAUS. Ei was – Connubium sine prole, est quasi dies sine
sole . . . Seid fruchtbar und mehret euch, steht in Gottes   25
Wort. Wo Eh' ist, müssen auch Kinder sein.

LISE. Nein Herr Schulmeister, ich schwör's Ihm, in meinem
Leben möcht' ich keine Kinder haben. Ei ja doch, Kinder!
Was Sie nicht meinen! Damit wär' mir auch wohl groß ge-
dient, wenn ich noch Kinder dazu bekäme. Mein Vater hat   30
Enten und Hühner genug, die ich alle Tage füttern muß,
wenn ich noch Kinder obenein füttern müßte.

LÄUFFER (*küßt sie*). Göttliche Lise!

WENZESLAUS (*reißt sie voneinander*). Ei was denn! Was denn!
Vor meinen Augen? – So kriecht denn zusammen; meinetwe-   35
gen; weil doch Heiraten besser ist als Brunst leiden – Aber
mit uns, Herr Mandel, ist es aus: alle große Hoffnungen, die
ich mir von Ihm gemacht, alle große Erwartungen, die mir
Sein Heldenmut einflößte. – Gütiger Himmel! wie weit ist
doch noch die Kluft, die zwischen einem Kirchenvater und   40
zwischen einem Kapaun befestigt ist. Ich dacht', er sollte

Origenes der zweite – O homuncio, homuncio! Das müßt' ein
ganz andrer Mann sein, der aus Absicht und Grundsätzen den
Weg einschlüge, um ein Pfeiler unsrer sinkenden Kirche zu
werden. Ein ganz anderer Mann! Wer weiß, was noch einmal
5 geschieht! *(Geht ab.)*
LÄUFFER. Komm zu deinem Vater, Lise, seine Einwilligung
noch und ich bin der glücklichste Mensch auf dem Erdboden!

Eilfte Szene

Zu Insterburg.

10 *Geheimer Rat. Fritz von Berg. Pätus. Gustchen. Jungfer Rehaar.*
Gustchen und Jungfer Rehaar verstecken sich bei der Ankunft
der erstern in die Kammer. Geheimer Rat und Fritz laufen sich
entgegen.

FRITZ *(fällt vor ihm auf die Knie)*. Mein Vater!
15 GEH. RAT *(hebt ihn auf und umarmt ihn)*. Mein Sohn!
FRITZ. Haben Sie mir vergeben?
GEH. RAT. Mein Sohn!
FRITZ. Ich bin nicht wert, daß ich Ihr Sohn heiße.
GEH. RAT. Setz dich; denk mir nicht mehr dran. Aber, wie hast
20 du dich in Leipzig erhalten? Wieder Schulden auf meine
Rechnung gemacht? Nicht? und wie bist du fortkommen?
FRITZ. Dieser großmütige Junge hat alles für mich bezahlt.
GEH. RAT. Wie denn?
PÄTUS. Dieser noch großmütigere – O ich kann nicht reden.
25 GEH. RAT. Setzt euch Kinder; sprecht deutlicher. Hat Ihr Vater
sich mit Ihnen ausgesöhnt, Herr Pätus?
PÄTUS. Keine Zeile von ihm gesehen.
GEH. RAT. Und wie habt Ihr's denn beide gemacht?
PÄTUS. In der Lotterie gewonnen, eine Kleinigkeit – aber es kam
30 uns zustatten, da wir herreisen wollten.
GEH. RAT. Ich seh', ihr wilde Bursche denkt besser als eure
Väter. Was hast du wohl von mir gedacht, Fritz? Aber man
hat dich auch bei mir verleumdet.
PÄTUS. Seiffenblase gewiß?
35 GEH. RAT. Ich mag ihn nicht nennen; das gäbe Katzbalgereien,
die hier am unrechten Ort wären.

PÄTUS. Seiffenblase! Ich lass' mich hängen.

GEH. RAT. Aber was führt dich denn nach Hause zurück, eben jetzt da? –

FRITZ. Fahren Sie fort – O das *eben jetzt*, mein Vater! das *eben jetzt* ist's, was ich wissen wollte.   5

GEH. RAT. Was denn? was denn?

FRITZ. Ist Gustchen tot?

GEH. RAT. Holla, der Liebhaber! – Was veranlaßt dich, so zu fragen?

FRITZ. Ein Brief von Seiffenblase.   10

GEH. RAT. Er hat dir geschrieben: sie wäre tot?

FRITZ. Und entehrt dazu.

PÄTUS. Es ist ein verleumderscher Schurke!

GEH. RAT. Kennst du eine Jungfer Rehaar in Leipzig?

FRITZ. O ja, ihr Vater war mein Lautenmeister.   15

GEH. RAT. Die hat er entehren wollen; ich hab' sie von seinen Nachstellungen errettet: das hat ihn uns feind gemacht.

PÄTUS *(steht auf)*. Jungfer Rehaar – Der Teufel soll ihn holen.

GEH. RAT. Wo wollen Sie hin?

PÄTUS. Ist er in Insterburg?   20

GEH. RAT. Nein doch – Nehmen Sie sich der Prinzessinnen nicht zu eifrig an, Herr Ritter von der runden Tafel! Oder haben Sie Jungfer Rehaar auch gekannt?

PÄTUS. Ich? Nein, ich habe sie nicht gekannt – Ja, ich habe sie gekannt.   25

GEH. RAT. Ich merke – – Wollen Sie nicht auf einen Augenblick in die Kammer spazieren? *(Führt ihn an die Tür.)*

PÄTUS *(macht auf und fährt zurück, sich mit beiden Händen an den Kopf greifend)*. Jungfer Rehaar – Zu Ihren Füßen – *(Hinter der Szene.)* Bin ich so glücklich? oder ist's nur ein Traum?   30
Ein Rausch? – Eine Bezauberung? – –

GEH. RAT. Lassen wir ihn! – *(Kehrt zu Fritz.)* Und du denkst noch an Gustchen?

FRITZ. Sie haben mir das furchtbare Rätsel noch nicht aufgelöst. Hat Seiffenblase gelogen?   35

GEH. RAT. Ich denke, wir reden hernach davon: wir wollen uns die Freud' itzt nicht verderben.

FRITZ *(kniend)*. O mein Vater, wenn Sie noch Zärtlichkeit für mich haben, lassen Sie mich nicht zwischen Himmel und Erde, zwischen Hoffnung und Verzweiflung schweben. Darum   40
bin ich gereist; ich konnte die qualvolle Ungewißheit nicht

länger aushalten. Lebt Gustchen? Ist's wahr, daß sie entehrt
ist?

GEH. RAT. Es ist leider nur eine zu traurige Wahrheit.

FRITZ. Und hat sich in einen Teich gestürzt?

5 GEH. RAT. Und ihr Vater hat sich ihr nachgestürzt.

FRITZ. So falle denn Henkers Beil – Ich bin der Unglücklichste
unter den Menschen!

GEH. RAT. Steh auf! Du bist unschuldig dran.

FRITZ. Nie will ich aufstehn. *(Schlägt sich an die Brust.)* Schuldig

10 war ich; einzig und allein schuldig. Gustchen, seliger Geist,
verzeihe mir!

GEH. RAT. Und was hast du dir vorzuwerfen?

FRITZ. Ich habe geschworen, falsch geschworen – Gustchen!
wär' es erlaubt, dir nachzuspringen! *(Steht hastig auf.)* Wo ist

15 der Teich?

GEH. RAT. Hier! *(Führt ihn in die Kammer.)*

FRITZ *(hinter der Szene mit lautem Geschrei).* Gustchen! – Seh'
ich ein Schattenbild? – Himmel! Himmel welche Freude! –
Laß mich sterben! laß mich an deinem Halse sterben.

20 GEH. RAT *(wischt sich die Augen).* Eine zärtliche Gruppe! –
Wenn doch der Major hier wäre! *(Geht hinein.)*

Letzte Szene

Der Major, ein Kind auf dem Arm, Der alte Pätus.

MAJOR. Kommen Sie, Herr Pätus. Sie haben mir das Leben

25 wiedergegeben. Das war der einzige Wurm, der mir noch
dran nagte. Ich muß Sie meinem Bruder präsentieren, und
Ihre alte blinde Großmutter will ich in Gold einfassen lassen.

DER ALTE PÄTUS. O meine Mutter hat mich durch ihren unver-
muteten Besuch weit glücklicher gemacht, als Sie. Sie haben

30 nur einen Enkel wiedererhalten, der Sie an traurige Ge-
schichten erinnert; ich aber eine Mutter, die mich an die an-
genehmsten Szenen meines Lebens erinnert, und deren müt-
terliche Zärtlichkeit ich leider noch durch nichts habe erwi-
dern können, als Haß und Undankbarkeit. Ich habe sie aus

35 dem Hause gestoßen, nachdem sie mir den ganzen Nachlaß
meines Vaters und ihr Vermögen mit übergeben hatte; ich
habe ärger gegen sie gehandelt als ein Tiger – Welche Gnade
von Gott ist es, daß sie noch lebt, daß sie mir noch verzeihen

kann, die großmütige Heilige! daß es noch in meine Gewalt
gestellt ist, meine verfluchte Verbrechen wieder gut zu machen.

MAJOR. Bruder Berg! wo bist du? He!
(Geheimer Rat kömmt.)   5
Hier ist mein Kind, mein Großsohn. Wo ist Gustchen? Mein
allerliebstes Großsöhnchen! *(Schmeichelt ihm.)* meine aller-
liebste närrische Puppe!

GEH. RAT. Das ist vortrefflich! – und Sie, Herr Pätus?

MAJOR. Sie Herr Pätus hat's mir verschafft – – Seine Mutter war 10
das alte blinde Weib, die Bettlerin, von der uns Gustchen so
viel erzählt hat.

DER ALTE PÄTUS. Und durch mich Bettlerin – – O die Scham
bind't mir die Zunge. Aber ich will's der ganzen Welt erzählen, was ich für ein Ungeheuer war –   15

GEH. RAT. Weißt du was Neues, Major? Es finden sich Freier für
deine Tochter – aber dring nicht in mich, dir den Namen zu
sagen.

MAJOR. Freier für meine Tochter! – *(Wirft das Kind ins Kanapee.)* Wo ist sie?   20

GEH. RAT. Sacht! ihr Freier ist bei ihr – Willst du deine Einwilligung geben?

MAJOR. Ist's ein Mensch von gutem Hause? Ist er von Adel?

GEH. RAT. Ich zweifle.

MAJOR. Doch keiner zu weit unter ihrem Stande? O sie sollte die 25
erste Partie im Königreich werden. Das ist ein vermaledeiter
Gedanke! wenn ich doch den erst fort hätte; er wird mich
noch ins Irrhaus bringen.
*(Geheimer Rat öffnet die Kammer; auf seinen Wink tritt Fritz
mit Gustchen heraus.)*   30

MAJOR *(fällt ihm um den Hals)*. Fritz! *(zum Geheimen Rat)* Ist's
dein Fritz? Willst du meine Tochter heiraten? – Gott segne
dich. Weißt du noch nichts, oder weißt du alles? Siehst du,
wie mein Haar grau geworden ist vor der Zeit! *(Führt ihn ans
Kanapee.)* Siehst du, dort ist das Kind. Bist ein Philosoph?   35
Kannst alles vergessen? Ist Gustchen dir noch schön genug?
O sie hat bereut. Jung, ich schwöre dir, sie hat bereut, wie
keine Nonne und kein Heiliger. Aber was ist zu machen? Sind
doch die Engel aus dem Himmel gefallen – Aber Gustchen ist
wieder aufgestanden.   40

FRITZ. Lassen Sie mich zum Wort kommen.

MAJOR *(drückt ihn immer an die Brust)*. Nein Junge – Ich möchte
 dich totdrücken – Daß du so großmütig bist, daß du so edel
 denkst – daß du – – mein Junge bist –

FRITZ. In Gustchens Armen beneid' ich keinen König.

5 MAJOR. So recht; das ist recht. – Sie wird dir schon gestanden
 haben; sie wird dir alles erzählt haben –

FRITZ. Dieser Fehltritt macht sie mir nur noch teurer – macht ihr
 Herz nur noch englischer. – Sie darf nur in den Spiegel sehn,
 um überzeugt zu sein, daß sie mein ganzes Glück machen
10 werde und doch zittert sie immer vor dem, wie sie sagt, ihr
 unerträglichen Gedanken: sie werde mich unglücklich machen. O was hab' ich von einer solchen Frau anders zu gewar-
 ten, als einen Himmel?

MAJOR. Ja wohl einen Himmel; wenn's wahr ist, daß die Gerech-
15 ten nicht allein hineinkommen, sondern auch die Sünder, die
 Buße tun. Meine Tochter hat Buße getan und ich hab' ihr
 meine Torheiten und daß ich einem Bruder nicht folgen wollte, der das Ding besser verstund, auch Buße getan; ihr zur
 Gesellschaft: und darum macht mich der liebe Gott auch ihr
20 zur Gesellschaft mit glücklich.

GEH. RAT *(ruft zur Kammer hinein)*. Herr Pätus, kommen Sie
 doch hervor. Ihr Vater ist hier.

DER ALTE PÄTUS. Was hör' ich – Mein Sohn?

PÄTUS *(fällt ihm um den Hals)*. Ihr unglücklicher verstoßener
25 Sohn. Aber Gott hat sich meiner als eines armen Waisen
 angenommen. Hier, Papa, ist das Geld, das Sie zu meiner
 Erziehung in der Fremde angewandt; hier ist's zurück und
 mein Dank dazu: es hat doppelte Zinsen getragen, das Kapi-
 tal hat sich vermehrt und Ihr Sohn ist ein rechtschaffener Kerl
30 geworden.

DER ALTE PÄTUS. Muß denn alles heute wetteifern, mich durch
 Großmut zu beschämen. Mein Sohn, erkenne deinen Vater wieder, der eine Weile seine menschliche Natur ausgezo-
 gen und in ein wildes Tier ausgeartet war. Es ging deiner
35 Großmutter wie dir: sie ist auch wiedergekommen und
 hat mir verziehen und hat mich wieder zum Sohn gemacht,
 so wie du mich wieder zum Vater machst. Nimm mein ganzes
 Vermögen, Gustav! schalte damit nach deinem Gefallen,
 nur laß mich die Undankbarkeit nicht entgelten, die ich
40 bei einem ähnlichen Geschenk gegen deine Großmutter äu-
 ßerte.

PÄTUS. Erlauben Sie mir, das tugendhafteste süßeste Mädchen
glücklich damit zu machen –

DER ALTE PÄTUS. Was denn? Du auch verliebt? Mit Freuden
erlaub' ich dir alles. Ich bin alt und möchte vor meinem Tode
gern Enkel sehen, denen ich die Treue beweisen könnte, die   5
eure Großmutter für euch bewiesen hat.

FRITZ *(umarmt das Kind auf dem Kanapee, küßt's und trägt's zu*
Gustchen). Dies Kind ist jetzt auch das meinige; ein trauriges
Pfand der Schwachheit deines Geschlechts und der Torheiten
des unsrigen: am meisten aber der vorteilhaften Erziehung   10
junger Frauenzimmer durch Hofmeister.

MAJOR. Ja mein lieber Sohn, wie sollen sie denn erzogen
werden?

GEH. RAT. Gibts für sie keine Anstalten, keine Nähschulen,
keine Klöster, keine Erziehungshäuser? – – Doch davon wol-   15
len wir ein andermal sprechen.

FRITZ *(küßt's abermal)*. Und dennoch mir unendlich schätzbar,
weil's das Bild seiner Mutter trägt. Wenigstens, mein süßer
Junge! werd' ich dich nie durch Hofmeister erziehen lassen.

Zur Textgestalt

Der Text folgt der Erstausgabe: Der Hofmeister oder Vortheile der Privaterziehung. Eine Komödie. Leipzig, in der Weygandschen Buchhandlung. 1774. – Die Orthographie wurde unter Wahrung des Lautstandes behutsam dem heutigen Gebrauch angeglichen, die Interpunktion blieb unverändert. Offensichtliche Druckversehen wurden stillschweigend korrigiert. Textstellen, die innerhalb der Grundschrift des Erstdrucks (Fraktur) durch größeren Schriftgrad hervorgehoben sind, erscheinen kursiv. Bühnenanweisungen und Regiebemerkungen zu Sprechern, im Original in größerem und kleinerem Schriftgrad sowie stets gerade gesetzt, wurden durchgehend kursiv wiedergegeben.

Literaturhinweise

Werkausgaben, Briefe

Gesammelte Schriften von J. M. R. Lenz. Hrsg. von Ludwig Tieck. 3 Bde. Berlin: Reimer, 1828. Bd. 1. S. 1–84.

Stürmer und Dränger. Zweiter Teil. Lenz und Wagner. Hrsg. von August Sauer. Berlin/Stuttgart: Union Deutsche Verlags-Anstalt, [1880]. (Deutsche National-Litteratur. Hrsg. von Joseph Kürschner. 80.) S. 1–81.

Jakob Michael Reinhold Lenz: Gesammelte Schriften. Hrsg. von Franz Blei. 5 Bde. München/Leipzig: G. Müller. 1909–13. Bd. 1. S. 327–421.

Gesammelte Schriften von Jacob Michael Reinhold Lenz. Hrsg. von Ernst Lewy. 4 Bde. Berlin: P. Cassirer, 1909. ²1917. Bd. 1. S. 1–88.

Jakob Michael Reinhold Lenz: Werke und Schriften. 2 Bde. Hrsg. von Britta Titel und Hellmut Haug. Stuttgart: Goverts, 1966–67. Bd. 2. S. 9–104.

Jacob Michael Reinhold Lenz: Gesammelte Werke in vier Bänden. Hrsg. von Richard Daunicht. München: Fink, 1967. Bd. 1. S. 39–121.

Dramatischer Nachlaß von J. M. R. Lenz. Zum ersten Male hrsg. und eingel. von Karl Weinhold. Frankfurt a. M.: Literarische Anstalt, 1884.

Briefe von und an J. M. R. Lenz. Ges. und hrsg. von Karl Freye und Wolfgang Stammler. 2 Bde. Leipzig: K. Wolff, 1918.

Brechts Bearbeitung

Bertolt Brecht: Der Hofmeister von Jakob Michael Reinhold Lenz. Bearbeitung. In: B. B.: Versuche. H. 11. Berlin: Suhrkamp, 1951. S. 5–55. – »Anmerkungen«, »Probeergebnisse«, »Episierungen«, »Über das Poetische und Artistische«. Ebd. S. 56–78. Wiederabgedr. in: B. B.: Gesammelte Werke in 20 Bänden. Hrsg. vom Suhrkamp-Verlag in Zsarb. mit Elisabeth Hauptmann. Frankfurt a. M.: Suhrkamp, 1967. Bd. 6. S. 2331–94.

Der Hofmeister. Tragikomödie von J. M. R. Lenz in der Bearbeitung des Berliner Ensembles. In: Theaterarbeit. 6 Aufführungen des Berliner Ensembles. Hrsg. vom Berliner Ensemble und von Helen Weigel. Düsseldorf 1952. S. 68–120.

Zur Biographie

Hohoff, Curt: Jakob Michael Reinhold Lenz in Selbstzeugnissen und Bilddokumenten. Reinbek bei Hamburg 1977.

Siblewski, Klaus: J. M. R. Lenz »Der Hofmeister«. Text und Geschichte. Modellanalysen zur deutschen Literatur. München 1984. (UTB 1030.)

Stammler, Wolfgang: »Der Hofmeister« von Jacob Michael Reinhold Lenz. Ein Beitrag zur Literaturgeschichte des 18. Jahrhunderts. Diss. Halle 1908.

Werner, Franz: Soziale Unfreiheit und »bürgerliche Intelligenz« im 18. Jahrhundert. Der organisierende Gesichtspunkt in J. M. R. Lenzens Drama »Der Hofmeister oder die Vortheile der Privaterziehung«. Frankfurt a. M. 1981.

Oehlenschläger, Eckart: Jacob Michael Reinhold Lenz. In: Deutsche Dichter des 18. Jahrhunderts. Ihr Leben und Werk. Hrsg. von Benno v. Wiese. Berlin 1977. S. 747–781.
Rosanow, M[atvej] N.: Jakob M. R. Lenz der Dichter der Sturm- und Drangperiode. Sein Leben und seine Werke. Deutsch von Carl v. Gütschow. Leipzig 1909. Neudr. Leipzig 1972.

Forschungsliteratur

Burger, Heinz Otto: J. M. R. Lenz »Der Hofmeister«. In: Das deutsche Lustspiel. Hrsg. von Hans Steffen. Bd. 1. Göttingen 1968. S. 48–67.
Eibl, Karl: »Realismus« als Widerlegung von Literatur. Dargest. am Beispiel von Lenz' »Hofmeister«. In: Poetica 6 (1974) S. 456–467.
Fertig, Ludwig: Die Hofmeister. Ein Beitrag zur Geschichte des Lehrerstandes und der bürgerlichen Intelligenz. Stuttgart 1979.
Glaser, Horst Albert: Heteroklisie – der Fall Lenz. In: Gestaltungsgeschichte und Gesellschaftsgeschichte. Hrsg. von Helmut Kreuzer. Stuttgart 1969. S. 132–151.
Guthke, Karl S.: Gedichte und Poetik der deutschen Tragikomödie. Göttingen 1961. S. 51–72.
Hinck, Walter: Das deutsche Lustspiel des 17. und 18. Jahrhunderts und die italienische Komödie. Stuttgart 1965. S. 328–347.
Hinderer, Walter: Lenz. Der Hofmeister. In: Die deutsche Komödie. Hrsg. von Walter Hinck. Düsseldorf 1977. S. 66–88.
Huyssen, Andreas: Drama des Sturm und Drang. Kommentar zu einer Epoche. München 1980. S. 157–173.
– Gesellschaftsgeschichte und literarische Form: J. M. R. Lenz' Komödie »Der Hofmeister«. In: Monatshefte 71 (1979) S. 131–144.
Knopf, Jan: Der Hofmeister. Von Jakob Michael Reinhold Lenz. Bearbeitung. In: J. K.: Brecht-Handbuch. Theater. Stuttgart 1980. S. 292–304.
Kreutzer, Leo: Literatur als Einmischung: Jakob Michael Reinhold Lenz. In: Walter Hinck (Hrsg.): Sturm und Drang. Kronberg i. Ts. 1978. S. 213–229.
Mattenklott, Gert: Melancholie in der Dramatik des Sturm und Drang. Stuttgart 1968. S. 122–168.
Meier, Werner: Der Hofmeister in der deutschen Literatur des 18. Jahrhunderts. Diss. Zürich 1938.
Michel, Willy: Sozialgeschichtliches Verstehen und kathartische Erschütterung. Lenz' Tragikomödie »Der Hofmeister«. In: W. M.: Die Aktualität des Interpretierens. Heidelberg 1978. S. 34–57.
Petrich, Rosemarie E.: Religion und Komödie: »Der Hofmeister« von J. M. R. Lenz. In: Wege der Worte. Festschrift für Wolfgang Fleischhauer. Köln/Wien 1978. S. 277–287.
Schöne, Albrecht: Säkularisation als sprachbildende Kraft. Studien z Dichtung deutscher Pfarrersöhne. Göttingen [2]1968. S. 92–138.

Nachwort

»Ich konnte mich nie zu dem Glauben überwinden, daß ein Deutscher je mit Shakespeare glücklich wetteifern würde«, schrieb Johann Georg Scherff am 29. September 1774, wenige Monate, nachdem der *Hofmeister* anonym erschienen war, an Friedrich Justin Bertuch, »aber *Götz von Berlichingen* und nun der *Hofmeister* haben meine Furcht überwunden.« Ähnlich zählten die *Frankfurter Gelehrten Anzeigen* am 26. Juli 1774 die Neuerscheinung trotz einiger Ausstellungen zu denjenigen Werken, durch die man – wie durch die Shakespeares und Goethes – erfrischt werde »wie das Land von fruchtbarem Regen nach langer Dürre«. Genauer gesagt, bahne dieses Drama neue Wege »für die in den Fesseln des ausdörrenden Pseudoklassizismus schmachtende Kunst«. Schließlich schrieb Herder am 14. November 1774 an Hamann, »Stücke dieser Art« reichten »tiefer als der ganze Berlin. Litterat. Geschmack«.

Das sind starke Worte. Kein Wunder, daß man das aufsehenerregende Drama weithin für ein Werk aus der Feder »unsers Shakespeares, des unsterblichen Dr. Göthe,« hielt, wie Christian Friedrich Daniel Schubart es 1774 im August-Heft seiner *Deutschen Chronik* formulierte. Goethe selbst zwar hatte schon vor dem Erscheinen des *Hofmeisters oder Vorteile der Privaterziehung*, wie der volle Titel lautete, an Ernst Theodor Langer geschrieben: »Ihr hört am Titel, daß es nicht von mir ist. Es wird euch ergötzen« (6. Mai [April?] 1774).

Der Verfasser war der livländische Pfarrerssohn Jakob Michael Reinhold Lenz (1751–92), »dieser ebenso talentvolle als seltsame Mensch«, als den Goethe ihn in *Dichtung und Wahrheit* vorgestellt hat: »Für seine Sinnesart wüßte ich nur das englische Wort whimsical, welches, wie das Wörterbuch ausweist, gar manche Seltsamkeiten in e i n e m Begriff zusammenfaßt. Niemand war vielleicht eben deswegen fähiger als er, die Ausschweifungen und Auswüchse des Shakespeareschen Genies zu empfinden und nachzubilden« (Elftes Buch).

Dieses Charakterporträt, treffend wie nur irgend eins, stützt sich auf die Begegnung der beiden jungen Dichter in Straßburg. Lenz war, nachdem er in Königsberg fünf Semester Theologie studiert hatte, im frühen Sommer 1771 als Begleiter von zwei kurländischen Baronen nach Straßburg gekommen. In erster

Fassung war *Der Hofmeister* damals bereits abgeschlossen;
Lenz hatte sich, so heißt es, an eine Skandalgeschichte ange-
lehnt, die sich damals in einer der angesehensten livländischen
Adelsfamilien abgespielt haben soll. 1772 spricht er brieflich
von einer neuen Bearbeitung seines Dramas, das dann im Früh-
jahr 1774 in endgültiger Gestalt bei Goethes Verleger Weygand
in Leipzig erscheint.

Der Alternativ-Titel *Vorteile der Privaterziehung* ist natürlich
ironisch und verweist auf die gesellschaftskritische Spitze des
Stücks: auf die Kritik an der Unterrichtung und Erziehung der
Kinder adeliger Häuser durch die sogenannten Hofmeister, die
ein eigentümliches Phänomen der Kulturgeschichte der Zeit
darstellen. Aus »Mißtrauen gegen den öffentlichen Unterricht«
bedienten sich, wie Goethe in *Dichtung und Wahrheit* (Viertes
Buch) bemerkt, tatsächlich nicht nur die adeligen, sondern
sogar die bürgerlichen, oder besser: die großbürgerlichen Fami-
lien eines Hauslehrers, der außer fachlichen Kenntnissen vor
allem die »galante Conduite«, Erziehung zu weltläufigen
Umgangsformen und gesellschaftlicher Bildung zu vermitteln
hatte. Die große Bedeutung dieses Standes in der Kulturgeschichte des achtzehnten Jahrhunderts spricht sich etwa in der
Tatsache aus, daß Christian Fürchtegott Gellert an der Universität Leipzig öffentliche Vorlesungen über die Pflichten eines
Hofmeisters hielt. In seiner ausgedehnten Korrespondenz
bemühte er sich darüber hinaus unentwegt um die Förderung
gerade dieses Standes. »Wer einen rechtschaffenen Hofmeister
für seine Familie wünschte, verlangte ihn von Gellerten«, sagt
Johann Andreas Cramer 1774 in seiner Biographie des Leipzi-
ger Professors. Es war ein Beruf, der u. a. von Studenten höhe-
ren Semesters ausgeübt wurde, namentlich auch von deutschen
Dichtern und solchen, die es werden wollten. »Die Hofmeister
sind jetzt unter den Poeten so häufig wie kurz vorher die Sekre-
täre oder noch früher die Schenken«, bemerkt Richard M.
Meyer (in seiner Literaturgeschichte) über die siebziger Jahre
des achtzehnten Jahrhunderts. Freilich: ein angenehmer Brot-
verdienst war es in der Regel kaum. Man höre, was der Frei-
herr Adolph von Knigge in seinem berühmten und kulturge-
schichtlich aufschlußreichen Buch *Über den Umgang mit Menschen* (3. Aufl. 1790) über die Lebensbedingungen der deutschen Hofmeister zu sagen hat: »Es kann mir durch die Seele
gehn, wenn ich den Hofmeister in manchem adeligen Hause

demütig und stumm an der Tafel seiner gnädigen Herrschaft
sitzen sehe, wo er es nicht wagt, sich in irgendein Gespräch zu
mischen, sich auf irgendeine Weise der übrigen Gesellschaft
gleichzustellen, wenn sogar den ihm untergebenen Kindern,
von Eltern, Fremden und Bedienten, der Rang vor ihm gegeben
wird, vor ihm, der, wenn er seinen Platz ganz erfüllt, als der
wichtigste Wohltäter der Familie angesehn werden sollte.«
Möglich, daß auch der Name »Läuffer« in diesem Sinne spre-
chend sein soll (Läufer: Bedienter). Hinzu kam die nicht immer
ausreichende Besoldung, von der Gottlieb Wilhelm Rabener in
seinen *Satirischen Briefen* (1752) berichtet: »Und, damit der
Hofmeister sein Geld ja nicht mit Müßiggehen verdiene, so sind
viele so sinnreich, daß sie von ihm alle Wissenschaften und über
die Wissenschaften alle mögliche Handdienste fordern und es
gern sähen, wenn er Hofmeister und Perückenmacher und
Hausvogt und Kornschreiber zugleich wäre.«
    Lenz hatte eine solche Stellung selbst bekleidet, schon in der
Königsberger Zeit, allerdings nur vorübergehend auf ein halbes
Jahr. Und die Art und Weise, wie er sich später von dieser Phase
seiner Vergangenheit distanziert, wirft ein Licht auf die Aus-
wertung seiner Erfahrungen für sein Hofmeister-Drama: »Weil
meine Überzeugung aber, oder mein Vorurteil wider diesen
Stand immer lebhafter wurde, zog ich mich wieder in meine
arme Freiheit zurück und bin nachher nie wieder Hofmeister
gewesen.« So schreibt er am 16. Juni 1775 in den *Frankfurter Gelehrten Anzeigen*, dem Organ der jugendlichen Stürmer
und Dränger. Dabei ist der Ausdruck »arme Freiheit« gut ge-
wählt, so gut, daß er geradezu prophetisch anmutet. Denn
er wirft einen langen Schatten voraus auf Lenzens weitere Le-
benszeit, die Jahre einer zugleich kümmerlichen und im we-
sentlichen ungebundenen Existenz. Der Ausdruck trifft zu auf
die Monate in Weimar (1776) in der Nähe Goethes und des
Hofes, wo er sich rasch durch sein zügelloses Treiben unmöglich macht, ebenso auf die Wanderjahre im südwestdeutschen
Raum und in der Schweiz, die sich daran anschließen. Schon
im Winter 1777/78 kommt bei Lenz der Wahnsinn zum Aus-
bruch, der Pfarrer Oberlin in Waldersbach im Elsaß nimmt sich
seiner an – das ist die Lebensphase, die Georg Büchner zu seiner Lenz-Novelle angeregt hat. 1779 kehrt er, unstet wie eh und
je, in die Heimat zurück. Petersburg ist die nächste Station,
auch dort faßt er nicht festen Fuß, er geht nach Dorpat, dann

zurück nach Petersburg, schließlich nach Moskau, wo er im Mai
1792 stirbt.

Um aber auf den *Hofmeister*, das erste Stück, mit dem Lenz als
eigenständiger Dramatiker vor die Öffentlichkeit trat, zurück-
zukommen: Die Kritik an der zeitgenössischen Erscheinung des
Hauslehrerstands und der Hauslehrerpädagogik ist darin gar
nicht zu verkennen. Die große Gesprächsszene zwischen dem
Vater des Hofmeisters, Pastor Läuffer, und dem fortschrittlich
gesinnten Geheimen Rat von Berg, die den zweiten Akt eröff-
net, hat sich sogar zu einer kleinen erziehungstheoretischen Stu-
die verselbständigt, die dem dramatischen Leben und der
Zügigkeit der Handlungsführung schon eher abträglich ist.
Aber gerade deswegen läßt sie die Bedeutung hervortreten, die
der Autor ihr zuschreibt, zumal er hier ja auch das Motiv der
Freiheit als des »Elements des Menschen« ganz im Sinne der
Geniezeit wendet. Und der Schlußsatz des Werks – »Wenigstens, mein süßer Junge! werd ich dich nie durch Hofmeister
erziehen lassen«–, diese triumphale Pointe mutet beinah an wie
das Finale eines Thesenstücks.

Und doch – was uns an Lenzens *Hofmeister* hauptsächlich
reizt, ist nicht dieser zeitkritische Aspekt, der unzweifelhaft da
ist, sondern das Stück selbst als künstlerisches Gefüge von eige-
ner Sinnintentionalität, die weit über die Lehrhaftigkeit und
Zeitkritik hinausgeht. Hier liegt der Unterschied zu Bert
Brechts Bearbeitung (1950), die charakteristischerweise mit
einem Prolog versehen ist, in dem es heißt: »Will's euch verra-
ten, was ich lehre / Das ABC der Teutschen Misere«, und mit
einem Epilog endet, der die Aufforderung enthält: »Betrachtet
seine Knechtseligkeit / Damit ihr euch davon befreit.« Lenzens
Drama jedoch ist nicht so sehr wegen seiner gesellschaftsskepti-
schen Obertöne, sondern als eine künstlerische Leistung hohen
Grades noch heute lebendig. Aber worin besteht diese Leistung? *Eine* Richtung, in der sie zu suchen ist, möchten wir
andeuten.

Einen Fingerzeig gibt uns Lenzens merkwürdige Unentschie-
denheit in der Bezeichnung des Genres dieses Dramas. Als
»Komödie« erscheint es, aber brieflich nennt der Dichter es
mehrmals »Trauerspiel«, wobei er allerdings einmal wie ent-
schuldigend hinzufügt, er müsse den »gebräuchlichen Namen«
wählen. Wenn man diesen Widerspruch – ohne Ansehung des
Werks selbst freilich – allenfalls noch mit Lenzens Theorie ver-

einbaren könnte, der zufolge eben jedes Stück, das statt einer
beherrschenden Zentralfigur »Begebenheiten« zum Vorwurf
hat oder ein »Gemälde der menschlichen Gesellschaft« dar-
stellt, Komödie zu nennen sei, so stutzen wir aber doch wieder,
wenn wir hören, daß die zeitgenössischen kritischen Stimmen
sich offenbar in der gleichen Ungewißheit im Hinblick auf den
Gattungscharakter dieses Werks befanden. Denn während der
Almanach der deutschen Musen auf das Jahr 1775 dem Dichter
bescheinigte, *Der Hofmeister* sei eine Tragödie, und zwar eine,
neben der sich manches französische Trauerspiel als Komödie
ausnehme, faßte etwa das *Magazin der deutschen Kritik* (1774)
das Stück als Komödie auf, ebenso Goethe; ja: Christian Rudolf
Boie ging so weit, es gleich als »das beste deutsche Lustspiel«
auszugeben. Schöpft man da nicht den Verdacht, daß Lenz
recht hatte, als er im sogenannten Berliner Manuskript des *Hofmeisters* den Untertitel »Lust- und Trauerspiel« wählte? Tatsächlich hat er die künstlerische Eigenart seiner Arbeit (an der
er übrigens allem Anschein des wilden »Shakespearisierens«
zum Trotz sorgsam gefeilt hat) mit dieser Formel am treffend-
sten bezeichnet. *Der Hofmeister* ist eine der frühsten Tragiko-
mödien der deutschen Literaturgeschichte, das heißt eins der
frühsten Dramen, die das Phänomen des Tragikomischen im
Sinne des zugleich Tragischen und Komischen gestalten; und
die Art und Weise, in der das hier geschieht, ist neuartig in der
Formgeschichte des deutschen Dramas.

Lenz selbst sagte also nur die halbe Wahrheit, als er im Okto-
ber 1772 in einem Brief an Johann Daniel Salzmann den *Hofmeister* einen »Raritätenkasten« nannte. Denn dieser – damals
gern gebrauchte – Ausdruck soll ja auf eine wenig durchgestal-
tete Fülle des Episodischen verweisen; tatsächlich aber fügen
sich weitaus die meisten Szenen und Szenenfetzen des Stücks zu
einem konsequent strukturierten Gebildeganzen zusammen,
das dem Aufnehmenden das Tragikomische als beherrschenden
ästhetischen Eindruck suggeriert. Wie aber wird dieser Eindruck erzielt?

Der junge Dramatiker verwendet hier eine Kompositions-
weise, deren Möglichkeiten auch später im tragikomischen
Drama wieder fruchtbar gemacht worden sind. Er kontrastiert
einen des Tragischen fähigen Charakter mit einer komischen
Umwelt, *die dessen Tragödie heraufbeschwören hilft:* also den
unglücklichen Hofmeister Läuffer mit dem schon fast ins

Bizarre karikierten Adelsmilieu des achtzehnten Jahrhunderts
und seinem weiteren Umkreis. Freilich ist gleich hinzuzufügen,
daß das tragische Opfer seinerseits wieder nicht ohne eine
gewisse Komik dargestellt wird. Und zwar ist es die menschliche
Schwäche Läuffers, die hier einen Stich ins Komische hat. Diese
komische Schwäche aber macht ihn anfällig und widerstandsun-
fähig für die potentiell tragische Lage, in der er sich schon vor-
findet, so daß auch er selbst – sekundär – zu seinem Verhängnis
beiträgt: Ein anderer Charakter würde sich daraus lösen können, nicht aber der auf komische Weise schwächliche Läuffer.
So trägt das Komische seines Wesens bei zu seiner Tragik
(deren radikale Konsequenz dann durch den versöhnenden
Schluß plötzlich abgebogen wird). Aber er ist nicht *Ursache*
seines Unglücks wie in der Typenkomödie, wo dann herzlich
oder schadenfroh gelacht werden könnte über die – geringfügi-
gen – komischen Fehler, die ein selbstverschuldetes Unglück
heraufführen. Indem nun Lenz in der Charakter- und Situa-
tionsgestaltung mit erstaunlichem Geschick diese schwankende
Balance zwischen Tragischem und Komischem eingehalten hat,
ist ihm eins jener reizvollen Spiele gelungen, die man mit einem
lachenden und einem weinenden Auge genießt. Sie gehören zu
den kostbarsten Seltenheiten der deutschen Literatur.

Karl S. Guthke

Dramen des Sturm und Drang

IN RECLAMS UNIVERSAL-BIBLIOTHEK

Philipp Reclam jun. Stuttgart

Erläuterungen und Dokumente

Philipp Reclam jun. Stuttgart

J. M. R. Lenz

IN RECLAMS UNIVERSAL-BIBLIOTHEK

Anmerkungen übers Theater. Shakespeare-Arbeiten und Shakespeare-Übersetzungen. Herausgegeben von Hans-Günther Schwarz. 9815

Erzählungen. Zerbin. Der Waldbruder. Der Landprediger. Herausgegeben von Friedrich Voit. 8468

Gedichte. Herausgegeben von Hellmut Haug. 8582

Der Hofmeister oder Vorteile der Privaterziehung. Komödie. Mit einem Nachwort von Karl S. Guthke. 1376 – dazu *Erläuterungen und Dokumente*, herausgegeben von Friedrich Voit. 8177

Die Soldaten. Komödie. Mit einem Nachwort von Manfred Windfuhr. 5899 – dazu *Erläuterungen und Dokumente*, herausgegeben von Herbert Krämer. 8124

Philipp Reclam jun. Stuttgart